U0135189

臺中學
2017
The Study of Taichung

市街之味

臺中第二市場的百年風味

游博清 著

王志誠 主編

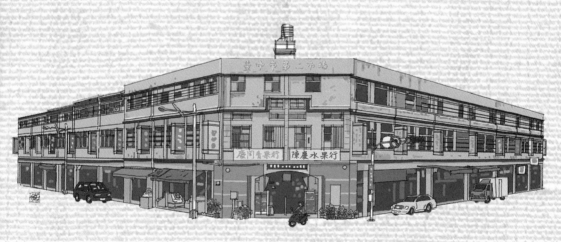

臺中市政府文化局　遠景 VISTA PUBLISHING

市街之味

臺中第二市場的百年風味 ————————

市長序	儲備臺中的人文精神	006
局長序	「百年城」的五道歷史光芒	008
前　言	市場文化的「活化石」	010
第一章	衛生第一的新富町市場	016
	——第二市場與日治時期公共衛生	
	現代化的最生猛案例：菜市場	018
	令人蹙眉的衛生觀念	029
	一齊高喊「衛生第一」！	042
	為了抗熱而比日本先進的第二市場	047
第二章	紅磚、角樓、六條通的魅力	060
	——第二市場空間配置與建築風格	
	菜市場建築也可以是一件藝術品	062
	如何蓋出美麗又不怕髒的菜市場	071
	第二市場的管理祕方：「Y」字形	075

Contents

第三章　一日之計在於晨的脈動　082
——第二市場的商業機能

四通八達的生鮮王國　086

想買魚就去第二市場　093

餐桌上的攤商聯誼會　108

買完菜，來喝杯咖啡吧！　109

第四章　和食、臺食都好食　116
——從第二市場看日治時期飲食文化

開始吃肉的明治日本人　118

在臺灣也能吃到和風味　119

在第二市場吃刺身和壽喜燒　124

臺灣胃不能沒有臺灣菜　133

臺灣料理店的食材庫：第二市場周邊的餐廳史　140

第五章　國、臺語都嘛通的菜市場　144
——1949年後的第二市場

Contents

日語沉寂，國語鬧熱   146

一把令人痛心的大火   155

不需要傳統市場了嗎？   158

第六章   在城市中奮勇逆流的草根市場   166

                  ——工商業社會下的第二市場

臺中火車站前的百貨大進擊   170

中區老街廓靜寂無聲了……   171

何時重回新富榮景：1990 年代的改建爭議   175

第七章   菜市場的現代庶民學   182

                  ——第二市場現況

他山之石：去看築地市場的過去與現在   185

第二市場的一天與每天   189

依舊臥虎藏龍的第二市場   195

附　錄   第二市場大事紀   200

參考書目   204

行動導讀

書碼 201717

複合媒體影音書

「行動導讀」提供讀者一份新的閱讀體驗，傳統書籍也可以如此方便地做到：既有深度、兼具廣度。其特色既保持書本平面閱讀時的舒適感與質感，同步又能夠提供多面性的具象影音，使書的內容更充實、更能散播美感與價值。

行動導讀　這樣做——

1. 手機下載「行動導讀」APP（iOS、Android 適用）或瀏覽網站（http://www.dowdu.tw/）。

2. 輸入「書碼」：QR Code 或 201717。

3. 查看「易導碼」（例如「(25)」），即可體驗閱讀中所延伸的豐富多媒體與影音內容。

市長序

儲備臺中的人文精神

林佳龍

近年來，做為宜居城市臺中市吸引各地的民眾陸續移入，人口大幅成長，躍居全臺第二大城，同時民眾對生活品質的訴求相對提高，人文精神也隨之抬頭。政府應如何規劃城市願景，以符合市民期待，這一步極為重要。

現今的臺中，能受到愈來愈多人的認同，過去打下的基礎功不可沒。許多在地的民間團體在此基礎上，活絡熱切地在臺中各地舉辦藝文活動，布置閱讀、品茗、及享用文創餐飲的舒適生活空間，或透過舉辦讀書會、講座等不同方式推展這座文化之城，使它的生活面貌、運轉軌跡可以清楚地被自身與外界所認識。而市府的文化團隊也不落於人後，以出版的力量凝聚這些人文精神，用以滿足這座對自身文化越來越有自覺的城市。

為了與過去眾多學術性的調查研究報告做區別，臺中市政府文化局特別策畫出「臺中學」叢書，以故事傾訴當地，以圖片還原環境，讓大眾透過這套書去發掘更多臺中的美好，進而典藏臺中的歷史、文化與生活。去年付梓的臺中學專書裡，分別暢談「臺中公園的今昔」、「領航者林獻堂」、「葫蘆墩圳

探源」、「清水人文地誌學」、「世界珍奶與臺中茶飲」等五大主題，都獲得廣泛的回響。

今年，我們聘請宋德熹與朱書漢、游博清、方秋停、郭富與蘇全正、林景淵與曾得標等專家學者，撰寫第二輯的臺中學，推出《驛動軌 ：臺中火車站的古往今來》、《市街之味：臺中第二市場的百年風味》、《書店滄桑：中央書局的興衰與風華》、《劇場演義：演藝娛樂現代化的天外天劇場》、《踢躂膠彩：臺灣膠彩畫之父林之助》，希望大家透過這五部專著看到臺中昔日的風華、現今正在進行的輪廓，與未來城市發展的藍圖，了解這塊土地的身世背景，進一步與臺中產生深厚的情感與歷史文化連結。

得以在一座人文風氣濃厚的城市中生活，無疑是幸福的。當然，臺中文化重鎮的地位之所以屹立不搖，靠的無非是一種長時間文化的累積，我們現在走的每一步路都是為將來進行儲備，所以我們也會持續出版一系列與臺中學相關的書籍，透過記錄不同階段、不同層面的人事物，增加這座城市的多元文化厚度。

「百年城」的五道歷史光芒

王志城

　　臺灣遊客偏愛日本京都。因為，那是一座洋溢著人文、藝術、歷史等氣息的棋盤式城市。然而如今卻極少人知道，昔日的臺中市也因為曾以京都為城市規劃的藍本，而被賦予了「小京都」的美稱。我們可以想像一下百年之前的中區地貌——宏偉的臺中火車站、臺中市役所、臺中州廳；以及許多香火鼎盛的寺廟；寧靜的各類日式傳統住宅；摩登的巴洛克式洋房、現代的市場建築；以及嫵媚柔人的柳川與石橋——那份傳統與現代、繁榮與靜謐並行的優雅，也曾經在臺中如此深刻地駐足過。

　　生活在「小京都」這座風情萬種的城市，我總想，要怎麼樣讓它的優雅再現，或是更廣為年輕一輩所知；當然，臺中不只有優雅的小京都，還有更多精采繽紛的山海景致與極富臺灣味的城貌，提供了許多足以形塑臺中的關鍵字庫。這些字庫的單詞不應只是單薄的名詞，而是更能引發人們情感共鳴的聲音，於是，「臺中學」系列在 2016 年誕生了。

　　第一輯「臺中學」付梓後，不僅受到海內外矚目，也獲得國史館臺灣文獻館的出版獎勵，以及文化部中小學生優良課外讀物的推介選書。市府與文化局團隊感謝各界的肯定之餘，今年也再接再厲，繼續編纂「臺中學」第二輯，規劃「臺中火車站」、「臺中第二市場」、「中央書局」、「天外天劇場」、「臺灣膠彩之父林之助」等五大主題，重塑「小京都」的生活與人文風貌。而第二輯的籌畫與撰寫，很榮幸邀請到中興大學及臺中在地的專家學者們，以他們豐厚的史學素養及在臺中生活多年的實地經驗，為這五個臺中關鍵詞彙刻劃立體細緻的脈絡。

　　在臺中火車新站開通之際，對舊站的記憶與感情依舊鮮明地存在於每個臺中

人的心中，《驛動軌　：臺中火車站的古往今來》便是一個精準的彙整與見證；本書由中興大學歷史系教授宋德熹、長期以「寫作中區」為筆名記錄臺中的朱書漢執筆操刀，不捨中卻又帶著期盼的心情，為這座老火車站的曾經與將來留下註腳。第二市場已是「臺中美食」的另類代名詞，而美味根植於整個場域獨特的歷史氛圍；透過《市街之味：臺中第二市場的百年風味》，擅長臺中發展史與文化交流史的游博清讓我們聽到了日語、臺語、國語交雜出的市場語言，更在古色的紅磚樓下聞到了青蔬、鮮魚的氣味，從不因百年過去而變質。

在電視、電腦等 3C 產品還未問世的年代，人們最大的娛樂便是閱讀與看電影，中央書局與天外天劇場因此與許多人的青春歲月遇見相逢。散文家方秋停不但以生動的說故事手法將中央書局在臺中建立文化碉堡的歷程娓娓道來，更訪問了諸多文化界人士，讓中央書局透過他們的記憶逐步復甦；對於即將重獲新生的中央書局而言，《書店滄桑：中央書局的興衰與風華》是一本不可或缺的指南。而天外天劇場或許是第二輯系列中最不容易詮釋的主題，但長期關注此地的蘇全正依舊透過中部首富吳鸞旂傳奇的一生，及其子吳子瑜對劇場的出資、投入，爬梳出天外天劇場的輪廓，成就了《劇場演義：演藝娛樂現代化的天外天劇場》這部作品，本書也幸得「臺中文史寶庫」郭双富的協助，收錄許多精采的圖片文獻。

如同第一輯的規劃，第二輯也選錄一位知名的臺中人物作為全輯亮點，出生在大雅、壯年乃至老年皆活躍於臺中的一代膠彩畫大師林之助便以《踢躂膠彩：臺灣膠彩畫之父林之助》一書登場。這部由林之助弟子曾得標及中興大學教授林景淵執筆的作品，除了清晰地勾勒出大師幽默迷人的風采，更重現他在動亂的大時代中，仍穩健地步向美之天地的堅定理念，是一部精采絕倫的人物觀察寫真。

巡禮了「臺中學」第二輯，我們會發現臺中何以在當年能坐擁「小京都」的封號，而這次的選題除了著重地理、歷史的主軸，也將視野延伸至庶民生活、美術藝文的層面，希望民眾不只能從文史的角度去認識臺中的曾經，更能感受與欣賞它美麗的面貌與內涵。

前　言

市場文化的「活化石」

第二市場可以說就像一座「活化石」，和它相關的史料文獻、老照片、一磚一瓦，都是一個又一個的線索，向我們訴說日治時代和臺灣光復以來發生在臺中的各種故事。

在現今臺中各處傳統市場中，第二市場的名氣可說最為響亮，從日治時代開始，迄今已有百年的歷史，伴隨著臺中城市的歷史一同發展，歷史悠久，富含文化意義，它見證了臺中從一座小城市轉變為大城市的點點滴滴，即便經過各種時代的挑戰和社會的變遷，仍是臺中中區的指標性景點之一。

第二市場可以說就像一座「活化石」，和它相關的史料文獻、老照片、一磚一瓦，都是一個又一個的線索，向我們訴說日治時代和臺灣光復以來發生在臺中的各種故事，從最初日本人建立西方現代化市場的規劃、到戰爭烽火歲月下的艱辛生活、戰後臺中站前商圈和中區的繁榮發展，再到近二十年來臺中城市重心的轉移。

例如，在建築方面，特別的是，我們從現存的建築當中，依稀仍可找尋到它在日治時期，那獨特的、具有幾何美感的Y字形建築設計。其次，市場是常民飲食生活最明顯的反映之一，透過不同時期的文獻，人們可以發現第二市場裡，不同時代、不同世代的飲食文化和特色，日治時期市場中所販售的魚類、白蘿蔔，反映日本殖民的影響，二戰後，華人飲食如各種小吃

重新成為市場的主流。

　　第二市場歷經歲月的考驗，1990 年代，在發展臺中中區的規劃下，一度面臨拆除、改建大樓的爭議，可喜的是，市場最終保存了下來，否則，今日我們所見，將只是一棟格局方正的商業大樓而已。

　　而且，近年來在文化創意與重視古蹟的意識下，人們不再視傳統市場為殘破、老舊的象徵，而是透過各種活動，積極賦予舊市場新的意義，如重建第二市場部分建築、在第二市場內舉辦年貨活動、重現日治時期臺灣料理的宴席、滷肉飯節等，一方面和過去的歷史做連結，也創造新的商機，為第二市場重新注入活力。

　　臺中火車站的開通見證了臺中自日治時期以來都市的蓬勃發展，距車站不遠的第二市場也深深參與其中，成為不同世代臺中人購物、飲食回憶中熟悉的「第二市仔」，由衷希望像第二市場如此富有文化和集體記憶的場所，能夠繼續見證臺中城市的下一個百年。

臺中人的味蕾記憶——第二市場，依舊活躍熱絡。（陳弘逸／攝）

市街之味｜臺中第二市場的百年風味

市場文化的「活化石」│**前言**

衛生第一的新富町市場

第二市場與日治時期公共衛生

早期的臺灣人衛生觀念並不顯著，日治時代引進現代化設施 (1)，衛生觀念的養成也融入教育之中。除了學校的指導，政府亦從最接近民生的市場開始落實公共衛生：所謂病從口入，若要避免傳染病橫行，買賣食物、生鮮蔬果的市場，自然是首要的變革重點。

臺中市第二市場

廣同青果行　陳慶水果行

| 現代化的最生猛案例 | 菜市場

　　創立於日治時代的第二市場 (2)，迄今已走過百年的時光，期間經過數個階段的蛻變，仍保持其特殊的風華。現在的第二市場，一方面仍具有傳統市場的商業機能，假日期間總是熙來攘往，更成為臺中中區 (3) 極具人氣的景點之一。另一方面，無形之中，它也具有重要的文化意義和象徵，成為推動臺中觀光產業的訴求之一，也是一代又一代臺中人味蕾記憶和城市記憶中的一部分。

　　第二市場與臺中市的發展有著緊密的關聯，而在臺中城市歷史發展的軌跡中，明治 41 年（1908 年）是頗值得注意的一年。

　　這一年，日人耗費大量心力完成的臺灣縱貫鐵路 (4) 終於全線通車，不僅是臺灣經濟建設的重要里程碑，這一項重大的交通建設也造就一批新市鎮的興起，其中，臺中（當時最早稱「臺中廳」(5)）可說是受惠於鐵路最多的城市，鐵道帶來的人潮和物流，讓臺中逐步建設。

鐵路建成那年，臺中廳長佐藤對於臺中未來的發展前景極具信心，發表以下談話，稱：

　　臺中自領臺之初，殆為內地人居住之部落，嗣經多幾變遷，而至於今。此次縱貫鐵道，行將開通，臺中在南北兩市之中央，充為汽車發著驛，故臺中為中心之中部商業，將愈見繁盛，為小都市之冠無疑矣。夫臺中之初創，係由內地人三千餘成者，爾來日為發達，人口逐漸增進，每年增有百名左右，如本年更增加三百餘名，蓋因鐵道開通後本地，為中繼驛，故偶致有此增加矣。餘如臺北之業商，亦甚為發展，臺中亦因以繁昌。目下臺中市區改正之土地，紛紛遞稟請買，中有臺北商人，亦有內地人紳士，謀欲併合北部事業，便於經營……。似此是臺中發展之運已到，舊來之面目，必可煥然一新。

　　在此之前，清治時期，和彰化、員林、豐原等地相比，臺中只能算是「鄉下地區」，人口稀少。等到日人來臺後，十分重視鐵路建設，中部鐵路通車後，雖然一度帶來許多人潮，

但商機仍有限，「中部鐵道全通而後，臺中之市況大有受其影響。最初乘鐵道之便，來臺中之田舍人者頗多，該地亦為之呈其盛況。不意此現象一時頓失，遂陷於不振之境。至如旅館者亦零落不堪，凡往南部之旅行客，皆直抵臺南，鮮有宿泊於臺中者」。

　　等到縱貫鐵路全線通車後，在日人的規劃下，日本當局也決定擴展火車站的規模。「臺中停車場，中部臺灣中最熱鬧之地也，乘客之升降如織，故計畫擴張其規模以為之便，設置機關車迴轉器械，復設供水所於距北方約一鎖之地點，自數日前經已興工矣，豫定一月半日自能竣工。又計設置機關庫，大概來年度自能著手。不論葫蘆墩與彰化間之距離遠近，此二地之機關庫概廢止，而新設於臺中云。」葫蘆墩即豐原，日人將火車機關庫專設於臺中，有利臺中作為物資、人流樞紐的功能，它位於全臺鐵路中心樞紐的地位也逐漸確立，在「鐵路經濟」的帶動下，它從幾乎毫無建設的「鄉下」地區，成為一座嶄新的城市，並逐漸超越中部原先發展已久的城鎮，例如彰化、員林和鹿港，成為臺灣中部的中心城市，可說是拉開臺中百年歷

史的序曲。

　　另一方面，光緒 21 年（1895 年）簽訂的《馬關條約》，清朝將臺灣割讓給日本，此一變局對臺灣近代歷史、文化的發展影響十分深遠。此時日本經歷明治維新 (6)，短短的數十年間，全國上下，西化頗為深入，對於各種事物的思維，也幾乎以西方作為圭臬準則，日治時期，第二市場的許多面向，其實與此有著千絲萬縷的關聯。

　　在朝向現代化的道路上，就城市管理而言，日本人治理臺灣後，其思維和先前清廷大不相同。如同臺北城一樣，在臺中市早期發展裡，都市規劃成為這座嶄新城市最大的特點之一。自明治 33 年（1900 年）開始，臺中陸續進行幾次街市「改正」的規劃，一改傳統漢人城池的模式，拆除早期清領時期的城郭，改採西方「都市計畫」的措施。在後藤新平 (7) 擔任民政長官時，幾種方案被提出，如臺中民政官員兒玉利國（1840 年～ 1925 年）的圓形放射規劃，但日人最終選擇英國籍知名顧問巴爾頓 (8)（W. K. Burton，1856 年～ 1899 年）及其學生濱野彌四郎（1869 年～ 1932 年）提出的「棋盤格」狀街市方案，並以縱貫鐵路

【右頁圖】在日人周全的城市規劃下，新富町道路以筆直整齊的樣貌面世，路中更種植行道樹，增添市容美觀。（國立臺灣大學圖書館／提供）

為軸心發展。

在棋盤格的街市理念下，現存日治時期臺中的老照片中，不時可見一條條寬廣筆直、相互交叉的現代馬路系統，和過去漢人街道截然不同，兩旁聳立的綠樹作為行道樹，成為街道的特徵。而在日治時期臺中市的行政區劃裡，第二市場隸屬新富町 (9)。在一幅新富町的照片中，寬廣道路的中央，種植著一整排椰子樹，路旁有排水溝渠，給予人整齊、秩序的視覺感受。

日人對臺中的城市規劃中，依據不同族群，區分不同住居區域，新富町主要為日人群聚所在，類似現代住宅區概念，鄰近的部分區域多是當時臺中重要生活區域。在新富町不遠的有大正町、利國町，該地的行政機構如臺中市役所、臺中州廳 (10)、知事官邸，和各項現代化的措施，包含郵局、圖書館、銀行、藥房、醫院等等，可說是當時臺中最熱鬧和精華的地區，中山路（當時稱為鈴蘭通）也成為最主要的商業街。此後，許多重要的展覽、集會，也都在此舉行，如大正 12 年（1923 年），日本裕仁皇太子來臺，為紀念此行所蓋的「行啟紀念館」即位於今日中山路上。

鈴蘭通

據稱鈴蘭通的由來是起
於當時這條路上的燈
飾，每支路燈上都懸掛
著四顆圓形球燈，頗似
鈴蘭花，夜晚發亮時，
別具詩意。這種鈴蘭花
造型的路燈，在大正時
代日本許多城市如京
都、東京，均可見到，
另外，日治時期，鈴蘭
通（今中山路）和綠川
交會處有一座知名的新
盛橋，為臺中最古老的
橋梁古蹟。

臺中火車站前、靠新盛
橋一帶（今中山路），
沿途設立的西式路燈呈
現精緻的鈴蘭花造型，
此路因而被賦予「鈴蘭
通」的美名。（國家圖
書館／提供）

市街之味│臺中第二市場的百年風味

除了街市規劃外，日人也重視公共設施的建置。例如大正5年（1916年），在《臺中市史》裡有一幅名為〈臺中水道鐵管配置圖〉的圖片，日人已在第二市場周邊鋪設水管，顯示此地開始享有自來水的現代化設施。值得注意的是，日人治理臺中最初期，預定供給自來水的人口數為5萬人，或許反映他們計畫裡臺中廳市區的規模。據臺中廳市區統計，當時人口總數僅約2.6萬人。

在各種現代化（或者說是西化）的措施中，公共市場的建設也是其中一項，有別於傳統市場，現代化的公設市場其實有其獨特的特徵，蘊含許多概念如現代的公共衛生於其中，是現代化一個特殊的體現之處。日治時代第二市場的歷史，就是討論現代性的一個極佳例子。

昔日的中山路是熱鬧的鈴蘭通，為紀念日本裕仁皇太子來臺而建的「行啟紀念館」也座落在此。（國立臺灣大學圖書館／提供）

此外，我們從第二市場的建立、市場的功能，及之後的改建、擴增等面向，一方面可看出日治時代臺中街市擴張的軌跡——如它初建時，臺中市的人口仍不多，市場消費量小；但數十年後，它的銷售額卻呈現倍數的增加和成長，反映臺中的快速發展和篳路藍縷的經過。

另一方面，市場依舊有其傳統的功能存在，往往最能反映一般常民的日常生活百態和社會脈動，例如漢文版《臺灣日日新報》[11] 報導第二市場曾發生假錢交易、滋事糾紛等；從第二市場銷售的大宗蔬果或魚肉，可知當時常民日常的飲食內容；在第二市場也發生過一個又一個動人的故事，成為許多老一輩臺中人記憶裡珍貴的部分。就在這種新舊交雜、現代與傳統混合之間，我們可以從中觀察到日治時期臺中的公共衛生、人口、建築、飲食文化等眾多面向。

｜令人蹙眉的衛生觀念｜

回頭說起第二市場的出生——第二市場始建於大正6年（1917年）。此時日本殖民臺灣已經過了約二十個年頭，日本

《臺灣日日新報》

它是日治時期臺灣主流平面媒體之一，發行量大，具親日本官方的色彩，分為日文版和漢文版，其中有多則第二市場相關報導，如第二市場的建立過程、改建經過等，從這些新聞當中，反映出許多層面，包含日本治理臺中的思維、市場中常民生活的百態等。

【左頁圖】日治時期的行政機構如臺中市役所、臺中州廳、知事官邸，及各項現代化的措施，包含郵局、圖書館、銀行、藥房、醫院等，都座落在中區的繁華地帶，至今依舊能感受到昔日的風情與榮景。（陳文彥／攝）

政府對臺灣的治理也從早期的「無方針」原則，逐漸變成「內地延長」主義和政策，視臺灣為日本內地和國土的延長，總督府各方面施政力道和管制可謂更增強一步。誕生於穩定時期的第二市場位於日人群聚的新富町內，其名稱曾數度更動，包括「第二魚菜市場」、「第二消費市場」等。當時它和第一市場同樣緊鄰當時臺中最熱鬧的街道鈴蘭通[12]（今中山路）旁，是早期臺中「唯二」的兩座市場。在大正13年（1924年）《臺

【右頁圖】1934年的第二市場建築外觀。許多建築細節如太子樓、窗戶設計等，如今依舊可在現存的市場建築中相互對應。（國立臺灣大學圖書館／提供）

中市報》裡，列出臺中主要市場的地址，當時名叫「第二魚菜市場」的第二市場的地址為「臺中市臺中 775 番地」。

根據《臺中州要覽》在大正 14 年（1925 年）的人口統計資料，當時臺中市區的人口總數約 4 萬人，男性比例約 2.2 萬人，女性約 1.8 萬人，總人口比起五年前，已經增加近 9,000 人。到了昭和 6 年（1931 年），總人口成長至 5 萬人，短短五年間，又增加 25%，成長頗為快速。若和前述大正 5 年（1916 年）比較，則是在十五年間，市區人口成長近一倍。

大正 13 年（1924 年），隨著都市的擴展，日人決定在臺中增設第三零售市場（位於現今臺中後火車站一帶）。在此之前，住在櫻町的人們往往需要耗費較長時間前往第一、第二市場採買食物。此後，日人又在現今臺中車站旁的干城附近增設消費市場，但銷售額仍以第一與第二市場為主。

日治時期，在與第二市場相關的議題中，公共衛生或許是最要緊的事之一。經歷過明治維新西化洗禮的日本人，他們在建設臺中時也視公共衛生為殖民治理的首重要務。對地處溫帶的日人來說，他們並不適應臺灣亞熱帶潮溼悶熱的氣候，且早

期來臺的漢人多未具備近代衛生觀念，疫病頻傳。日軍接收臺灣初期，日軍因傳染病或水土不服而去世者達數千人，然而戰死者卻僅有百餘人，差距極大的比例可以看出疫病對日人健康的威脅。

那麼，究竟什麼是近代的「衛生」概念？包含的範圍有哪些？日人對於該詞的定義十分廣泛，如在林青月講述的〈衛生講話〉裡，共分為 11 章，標題分別是傳染病、大氣、衣服及

隨著城市的不斷擴展，日人決定在臺中後火車站一帶增設第三零售市場，以因應日漸繁多的消費人口。（國立臺灣大學圖書館／提供）

身體的保護、沐浴、水質、土地（建築）、採光法、汙物、葬法、榮養（食品）、檢黴（細菌）等，涉及個人衛生、食品衛生、環境衛生（廢棄物處理）、埋葬、傳染病等多方面議題，認為這些都是應當注意的事物，甚至日光也與衛生有關，當時已認知到採光好壞與人體衛生健康之間的關係，如居家的日照充足，是有益於人體健康的。

許多來臺日人對於漢人未具近代衛生觀念的情形有十分深刻的印象，在許多紀錄中皆可見。例如明治40年（1907年）《臺灣日日新報》記載：「本島人惡習，常以汙水洗滌，危險實甚，今欲除其弊，必用井泉始可。」早期漢人甚至以汙水洗衣服，不以為意，這已是今日我們難以想像的了。

日治初期，日人佐倉孫三（1861年～1941年）曾來臺擔任教育官員，他在明治36年（1903年）出版的《臺風雜記》是極少數以全漢文書寫的書籍，書中生動地描述他所見和耳聞的當時臺灣各類風俗，為極為難得的一手史料。在書中〈婦女濯衣〉條，就稱：

臺人不厭物之汙穢。凡自飲食器具至家室井池，塵埃堆積、發異臭而不毫介意。且垢膩滿肌膚，不施沐浴，可怪矣！唯婦女濯衣裳甚勞，不問河水、池水，苟有水則洗濯衣類。……獨惜不擇水質而洗之；乾燥之後，尚帶異臭，是可厭耳！

佐倉孫三的《臺風雜記》是日治時期專門記載臺灣風俗習慣的珍貴史料之一。（國立臺灣圖書館／提供）

我們從這段描寫看到的是髒亂、充滿異味的生活環境，佐倉孫三的描述和《臺灣日日新報》可說是不謀而合。

在另一條〈不潔〉的標題下，佐倉孫三稱：「臺地市街，石壁瓦甍，丹碧彩色，奐焉巍焉，殆不讓泰西。唯街路狹隘，甃石凹凸，加之不潔堆積、溺水氾濫、豚鵝雜逞，異臭撲鼻，使人發嘔吐，而臺人毫不顧。且家無廁圍，街路設一大廁場，人人對面了之，亦甚可厭。若使潔癖漢處之，則將何言。」這兩則記載都反映出日治初期，臺灣漢人蓬頭垢面、極度缺乏近代西方衛生觀念的情形。此外，臺灣漢人的觀念傳統，無法理解傳染媒介和預防等概念，「然多迷信，有不信蠅之傳染及豫防注射有效，乃至於隱匿病人之不報，及病人挑泄物不為消毒者，故曰衛生思想，幼稚於內地人（按：日本人）」。

不過，在日人眼中，臺灣雖缺乏衛生概念，但仍有少許值得稱許的良好習慣，如明治 38 年（1905 年）在〈臺灣習俗美醜十則〉裡，稱「二、臺人衛生，本不完全，而獨有一事，為天然習慣固有之特性者，如試茗必用沸湯，洗顏必需熱水，蓋冷水常生黴菌，一經沸熱，自無餘患，此最有合於衛生之法。」認為喝茶、洗臉用熱水，仍符合殺菌的衛生概念。同樣的，在一本期刊中，有一則〈宣傳本島好風俗〉的短文，稱「咱臺灣人無論富貴的、貧賤的，攏若食飽，就定著要洗面。……此個真正合著衛生，不止好的慣例啦。如此洗面的確用燒水、用冷水都不曾，所以更較合著衛生。……我真愛鼓舞內地人（按：日本人），著親像阮如此（按：就像我一樣）」。

　　另外，臺灣人也不喜歡吃冷食，在當時的衛生調查中，將此列入臺灣的「善良」風俗當中，稱：「臺灣人絕對不吃涼飯，即使是已經煮熟的飯菜，一旦涼了也不吃，必須再熱一熱才肯吃，也就因為如此，一般野食攤販業者，都把爐子裡的火從早生到夜晚，採取一邊煮、一邊賣的方式。……熱食確是一種好習慣，假如日本人也能革除冷食，對於衛生一定有很大的

幫助。」從這些例子來看，日本人重視的是衛生的概念，所以也並不全然以種族的觀點看待漢人的衛生習慣。

上述日本對臺灣現狀和過去情形的調查，其實是其殖民治理相當重要的措施之一。對日本來說，臺灣是它獲得的第一個海外殖民地，然而，雖已得到治理的權力，但面對迥異的人種、風俗、文化等情形，要達成有效治理，其實十分不容易。因此，日人在治理臺灣的同時，一方面陸續引進他們奉為施政準則的西方制度和事物，但同時也須顧及清領時期過往的情形。

為了調查臺灣社會、經濟各個層面，作為總督府施政的方針，日本人來臺後不久，明治 34 年（1901 年），在知名民政長官後藤新平（1857 年～ 1929 年）「治國需先知民情」的堅持下，成立「臺灣舊慣調查會」，其目的之一就是調查臺灣農、工、商等各行業，以及人民的生活習俗和習慣，也因此，日治時期陸續產生不少由官方支持出版關於臺灣社會、經濟、風俗的重要著作。

回到衛生議題，在民眾普遍缺乏公共衛生和個人衛生觀念情形下，傳染性疫病發生時，非常容易散播開來，當時重大傳

民政長官後藤新平的籌畫及建設，奠定日後日人治臺的基礎。（國立臺灣大學圖書館／提供）

染病包含鼠疫、瘧疾、霍亂、天花等，大正 8 年（1919 年）曾爆發霍亂大流行，死亡率相當高。明治 38 年（1905 年）的統計亦提到臺灣瘧疾（malaria）的普遍和猖獗：「本島夙稱瘴癘地，無百斯篤（Pest，即鼠疫）病，亦無赤痢症，所可恐者，惟此瘧疾（麻剌里亞）極猖獗耳。而於本島年年患此病有若干人，雖未得正確統計，然單就各醫院與公醫所治療患者，年年達二三萬人之多。」

因此，日本當局為了增強衛生、清潔的觀念，上至總督府，下至地方小吏，不斷利用各種方式和時機，灌輸、宣傳與宣導衛生概念的重要性，進行衛生調查、統計，也進行各種衛生工程。例如，為有效養成個人衛生習慣，大正 11 年（1922 年），日人在臺中市區建設公共浴場，分別搭建男、女浴場，此後也有業者經營湯屋，目的之一就是希望改變過去本島人不常洗浴的習性。其它如要求居家設置合乎規定的廁所、定期的居家清潔等，皆是相關表現，如當時臺灣不少地區已養成天氣晴朗時，將家具搬出曬太陽的日光消毒法。「臺北舉行清潔法已久，因陰晴不定故爾遲延，數日前天氣已大回復，目下舉行清潔，意

外進步，其家具雜物，一切搬出，曬向日光，自午前至午後約三時間，所有寄生蟲等，皆為曝死，誠衛生上之非常利益也。」

公共衛生方面的建設、宣導、實施更是全面，過去漢人社會較不重視「公共空間」的清潔，因此，日治時期所進行諸如地下水道的規劃、開挖和建設、火葬場的建置等，都是過去清領時期聞所未聞的。當時臺中一年當中，春季和秋季皆需定期進行街市的清潔工作，市內各町輪流進行大掃除，整理居家周圍的髒汙、雜草，防止病媒蚊的孳生。然而，有時日人的措施會遭遇傳統文化的明顯衝突，如發生傳染病時，感染者的大體需要火化，但中華文化重視入土為安的喪葬文化，會讓家屬無法接受。

衛生概念也透過教育宣導，當時受教育的臺灣人，普遍學歷是公學校，在課本中，不少都提到衛生的重要性，希望人們從小就養成衛生觀念。例如，「店內都有騎樓來讓人行走，人來人往才會衛生，也可以便利行人出入市場，其次就是袋子可以二度使用，既便利又環保」。

此時總督府邀請來臺，或明治政府派赴來臺的官員，包含

乾淨的水源是衛生的基
礎。《臺灣水道誌》收
錄臺中水道建設的淨水
塔影像。（國立臺灣大
學圖書館／提供）

後藤新平、巴爾頓等人，其實他們在日本任職時，就已擅長處
理有關公共衛生的議題，具豐富的實務經驗，這或許也是他們
被派到臺灣的主因之一。明治 20 年（1887 年），明治政府延
攬巴爾頓至京都擔任公共衛生方面的顧問，處理霍亂等傳染病

有成，並在東京大學教授公衛方面課程，來臺後對臺灣自來水工程建設，有重要和基礎性的調查和規劃。他所提出臺中市「棋盤格」的街市規劃，或許實際上也有助於公共衛生的實施和管理，因為比起之前漢人蜿蜒的街市，筆直的馬路應該是較有助

臺中水道建設的唧筒室，是供應臺中城市水源的重要抽水機房。（國立臺灣大學圖書館／提供）

於排水溝渠的挖設，避免積水，故巴爾頓的城市設計或許已將公共衛生考量於其中。

經過一段時間的努力後，《臺風雜記》如此記錄日本人來臺後，臺灣衛生情形發生的改變：

然邦人來本島以來，大致力於街衢清潔法，或新築溝渠、或填敷砂礫，一望坦然，車馬晏如。且新穿井，清泉噴出，可以洗暑熱、可以濯衣裳，比之昔日街衢塵埃縱橫之狀，其懸絕果何如！

可知為了改善市容和衛生，日本人透過挖掘地下溝渠，挖鑿泉水等措施進行改善，使城市景觀煥然一新。

| 一齊高喊「衛生第一」！ |

公共市場由於人潮聚集，如不注重公共衛生，極易成為傳染病散播的溫床。日人來臺後，他們眼中的漢人市集，往往顯得雜亂，隨處可見流動攤販，沒有排水設施，各類食物混雜，

氣味難聞，衛生堪慮，市容亦不佳。

　　明治 37 年（1904 年），日人對臺灣的治理進入第十個年頭，各方面較進入軌道後，當時臺灣總督兒玉源太郎（1852 年～ 1906 年）任內，公布相關市場管理辦法，確立市場公營原則，顯示國家力量的介入，其中包含徵收「公共衛生費」，用以作為公共衛生工程的財源，但這劃時代的舉措，主要策畫者來自當時的民政長官後藤新平，他在日本時即有任職衛生官員的經驗，是兒玉總督的得力助手。之後在明治 44 年（1911 年），佐久間左馬太 (13)（1844 年～ 1915 年）任總督時，又發布《臺灣市場取締規則》，強行禁止民間經營市場買賣，統一由總督府管理。

　　在此時空背景下，日治初期，全臺各地，北從臺北，南至屏東，紛紛建起「新式」的公共市場，將攤商集中管理，例如，關於嘉義市場，《臺灣日日新報》就有如下描述：

　　嘉義市場所原係舊縣署照場曠地，人跡罕到，改隸後築為醫院。院外一帶敷地，頗見寬敞，政府諭令將該處建設市場。

今則熱鬧非常，時形擁擠。每日豚之一種，平均約有三十餘頭，牛肉由臺南運至者，一個月計有十頭，其山羊僅一頭而已。鴨以數百計，海產魚類，一日汽車三次運搬，均見販賣一空，並無留滯，菜蔬亦不下百擔。其他如各樣油湯食物，及肩挑各種物件者，不計其數，洵見盛況。

日人將攤商集中管理後，群聚效益明顯，增加市場的交易量。且市場建築外觀皆以宏大著稱，除嘉義市場外，臺南西市場、臺北西門市場等皆是如此。同樣的，臺中也陸續建起新的市場。

同時，日人對市場的衛生環境有其更嚴格的要求，包括清潔、通風、採光、消毒等細節。可見日人規劃較為整體和全面，不只考慮市場的消費需求，也顧及相關衛生改革。《臺風雜記》記載：「近時我警察有市場監督法，最注意於衛生、風俗之事，秩然改面目云。」

然而，市場衛生的維持須實際從多個方面著手，無論是建築物本身、排水溝渠等外部的衛生工程，還是店鋪中販售食物

所涉及的飲食衛生、攤商的健康管理等，皆有相關環節需注意。

特別的是，在公有市場的部分設計上，臺灣竟然比日本還要「先進」，原因在於臺灣位處亞熱帶，為了適應潮溼、炎熱的氣候，日人建築師對臺灣公設市場的空間規劃、採光、通風等方面，特別花費一番心思，是同時期日本市場所沒有的，或者說是不必擔心的。之後，日本本土也逐漸採用和借鏡臺灣市場相關概念和設計。

就第二市場來說，在衛生工程方面，大正 6 年（1917 年），它落成後，主體建築呈「Y」字形，著名的六角樓位於中心點，為符合衛生要求，六角樓建築本身就有採光和通風相關設計，例如頂部開設半圓窗、挑高設計等，有助於空氣的流通和光線的引入。

接著，「Y」字形三個支翼建築內是第二市場攤商主要的販售空間（人行走道位於店鋪之間）。在此部分的空間，日人為了臺灣潮溼氣候和衛生考量，同樣做了一些巧思，例如在兩根扶壁柱之間，開設橫向連續的水平窗等，有利通風，挑高的設計同樣有利於空氣流動和光線進入，因為如果通風不良而導

致悶熱的環境，食物容易腐敗。另外，在三個支翼的屋頂上，均使用「越屋根」，同樣達到通風、採光和散熱效果。

排水溝渠也是市場衛生工程的一環，我們從臺南新市場的建造，可略知大概。「曩者安平市仔街，亦置一魚菜市場，奈日久經風雨剝蝕，未免損壞不堪，又且嫌其狹隘卑下，不能通風。此次當道者擬欲改築一規模宏敞，結構軒昂之新市場，周圍添造水道，雇人夫不時清潔場內汙穢，務使十分停當。」排水道的設計，有利市場食物買賣交易產生汙水的排出。

除了環境衛生工程之外，食品衛生也是市場衛生重要的環節，涉及食物如何擺放、分類等等議題。日治初期，總督府對於各類飲料、食品、食用器具很早就有相關管理規定，例如，明治40年（1907年）稱：「店鋪行商，有將飲食物類露列者，恐為昆蟲塵埃所沾染，必設麻布或玻璃覆蓋之，極其飲食物有用混合者，亦一概暫行厲禁之」。其它書中也記載，「臺南市那樣風沙多的地方，再加上沒有良好的防塵設施，吃起來實在不夠衛生，有感染疾病的危險」，可見食物需用物品與蚊蟲、灰塵等有效隔離。食物之外，對於食物販賣者的健康管理也相

當重視，市場營業的攤商都需做定期的健康檢查，尤其是傳染病的檢查。

此外，不同種類的食物，應分別販售。根據自小在第二市場生活的商家楊老闆回憶，日本人對第二市場的攤商管理十分嚴格，在市場的三個支翼店鋪裡，肉類、蔬果、魚肉各有其專門的銷售點，民眾不得任意再擺設攤販。

另一方面，對總督府來說，市場公共衛生的相關設計如完善，包含排水設計、便所的設置、通風設施等，那麼，可以合理想見，人們從「逛」市場的過程中，無形之中，也可養成現代衛生的行為和觀念，何嘗不是一舉兩得，可見市場實際上是落實公共衛生概念的極佳「場域」，也可說是展示所謂「現代文明」內涵的場所。

｜為了抗熱而比日本先進的第二市場｜

昭和 5 年（1930 年）1 月，第二市場的使用已超過十年，就在這一年，日人決定改建第二市場。據劉罡羽的研究，同時期臺灣各地公共市場改建、增築的平均時間或約 15 年，這是

因為氣候潮溼，使木造建築容易腐朽。第二市場的建築材料中，不少都使用木頭，包含中央六角樓內部的樓地板，以及三個支翼建築支撐屋頂的部分，這種情形下，自然需更換重建。

我們從隔年昭和6年（1931年）4月《臺灣日日新報》漢文版的報導中，可見先前市場的問題所在：

臺中市場改造工事本月中完成。臺中第一、二消費市場，稱全島一不潔市場，市當局嚮導、內地視察者觀覽時，每引以為恥。近由商易保險局，融通三萬五千圓，一部改築。第一市場入口，有極不潔之亞鈴板葺本島人飲食店六十餘軒，命其撤退，著手新築賣店，場內亦一部改築。第二市場，將生魚拍賣場擴張三倍，設冷藏庫二處，大抵本月中完成，今後定成全島一理想市場也。

從這篇報導可知，日人雖已注重公共衛生，但第一和第二市場在初建早期，清潔程度仍舊堪慮，甚至有「引以為恥」的描述，原因可能來自同則報導中所稱，市場外有大量本島人

開設的飲食店和雜物所致。這篇報導也反映衛生習慣養成之不易，此時距第二市場初次落成雖然已經過了十餘年，但市場衛生環境仍有需改善的部分。

此外，報導中所稱因為第二市場的生魚拍賣場擴張三倍，故設冷藏庫兩處。冷藏庫有助於拍賣魚類、肉類的保鮮和防腐，同樣也是著眼於飲食衛生方面的考量。

冷藏庫在當時仍屬頗為先進的設備，也象徵第二市場的「進步」。日治時期，全臺首座在市場內的冷藏設備，可能是臺北新起街市場（今西門市場）的冷藏庫，明治 42 年（1909年），當時報紙報導「新起街市場，規模最為壯麗，設備亦周，惟冷藏庫未設，夏時諸多不便，此番將為建置，不日即著手興工。」文中提到夏日市場缺乏冷藏設備的不便。

隔年 2 月，冷藏庫接近完工，「經總督府海事局堀內技師為之設計，已近竣成。」冷藏庫位於西門市場知名的八角樓（今西門紅樓）西面，共花費萬餘元。不久，冷藏設備即將完工，則稱：「新起街市場冷藏庫，設備冷藏用著水銅，安置經已完竣。去廿三日午後一時，為之試驗，其成績頗良好云。」等到

冷藏庫正式運作後，情況和收益頗為良好，「新起街市場內冷藏庫，近日益呈好況，寄藏者甚多，如生魚之類，運到市場，悉藏於該庫，視顧客之需用若干，方為取出販賣。而豚牛肉類亦受影響不少，其他麥酒涼水等，需用者亦漸次增加。近來每日純益金，約有十圓內外云。」

經過推廣和口耳相傳後，臺灣人普遍知道夏日時，冷藏庫消暑、保鮮的效用，冷藏庫的營收大增。明治44年（1911年）報紙稱：

新起街市場內冷藏庫，至昨年尚收不償出，且臺北廳亦月月損失，至以市場收入金相殺之，嗣因世人漸知冷藏庫之利用，本年甚呈好況，遂覺狹隘。今次已有提議投一萬餘圓以擴張之者，目下冷藏物品，大宗為麥酒、清涼飲料、魚類、果類等，營業則概由大塚商會一手辦理，賣水則為其副業。麥酒自前月來，平均一個月所賣約二十箱，清涼飲料十五、六箱，麥酒一矸廿八錢，清涼飲料十五錢。

除了蔬果、肉類外，飲料也是市場冷藏庫的大宗商品之一，在炎炎夏日當中，冰涼的飲料是人們消暑的良方。而且，較一般的冷藏庫，市場內的冷藏庫，其溫度和收費更有其優勢，稱：

此冷藏庫所收者，比於普通冰庫冷藏者，冷卻之度尤甚，且比雜貨店小賣者價益廉，至夜半需用者尤多。其以電話訂購半打以上者，不論市中何處，皆配達無料，可以持往。間如西瓜，到底非庶民家所得冷卻，若託於此冷藏庫，一晝夜則可全冷之。冷藏手數料，僅僅三五錢。又其副業之冰，現日日皆賣七八十貫目。冷藏室內之溫度，往在四十度至四十二度云。

上文提到的溫度應該是指華氏，華氏 32 度等於攝氏 0 度，華氏 50 度等於攝氏 10 度，推算可知市場冷藏庫的溫度約在攝氏 5 度至 10 度左右。文中提到的「配達無料」是指免費送達，只要消費者或廠商訂購半打以上，就可享有這項服務，和現在的商業銷售方式頗為類似。

昭和 8 年（1933）3 月，第二市場重新改建後約兩年，一

則報導稱臺中豐原的富春製冰會社和臺中市大日本製冰、中央製冰的協定販賣期間即將到期，該會社決定在第二市場內設置「特別販賣所」，相互競爭，富春製冰每貫的售價為 6 錢。這則報導顯示夏天時，天氣十分炎熱，為魚類、食物的保鮮，冰塊成為一項熱門生意。

回到第二市場改建的議題，日人在改善髒亂的同時，也擴充第二市場內的設備和賣店。昭和 5 年（1930 年）7 月，《臺灣日日新報》漢文版報導：

臺中第二市場，建築已久，採光、通風又不良，數年前曾謀建築，因建築費其他關係，故荏苒至今。然未可長久放任，故決定新築。三萬五千圓借入金經得總督府承認，不久將建近代式市場，其內部與臺北西門市場略同，俱用白磚，一見清爽，圖案已就。而第一市場內部，亦將改修，與第二市場新建物同式，工事將見著手也。

從同時其它記載則稱這筆預借的資金是低利貸款。從這段

描述可知，臺北西門市場應該是當時具有指標性的市場之一，其內部設計值得其它市場的仿效，而「俱用白磚，一見清爽」的語句也有著採光較佳、潔淨等衛生的概念在內，現今第二市場內，仍有部分壁面採用白色磁磚。

隔年昭和6年（1931年）5月的報導，第二市場內新建的簡易賣店，共計有二十餘間，報紙形容「頓添美觀」。而且，同時整修原有的魚菜卸賣市場，拆除舊屋。7月報導，新的魚菜卸賣市場即將完工，投入資金達萬餘元，同時改建原有的魚介部，完工後，市場內的採光、通風和清潔程度，獲得進一步改善。

我們從此一階段第二市場的空間配置圖中，還可發現一處特別的地方，那就是這時市場內特別配置「便所」這一衛生空間，分別設於東北和西南兩個角落，接近市場兩個出入口，用以滿足來此購物人們和市場內攤商的生理需求。如此設計的用意之一也是希望改變漢人可能隨地便溺的不良衛生習慣，改善市場購物、競價的環境，而且，便所位置和商鋪間隔較遠，避免食物和水受到汙染，也降低傳染病傳布的機會。

設置便所幾乎是日治時期全臺各地市場的「標準」設施之一，早在明治 40 年（1907 年），嘉義野菜魚肉市場同樣有便所設置，「自前籌及再新創，一律鞏固妥貼。現此時完工者，則有如魚肉市場一棟、野菜市場一棟、喫茶店，及飲食店各一棟尚有未盡純璧，係周圍之敷地庭面，及其他大小便所，是之遲延。本島工人，因舊曆正月暫休停數日，雖然，再不上四五天，即當完竣。所以全部落成，在當道決定月之下旬支廳長會議結果後，遂施行落成式之壯觀云。」

　　由於市場是人來人往之地，如有傳染病發生疑慮時，清潔、消毒工作更是不得馬虎。昭和 5 年（1930 年）曾有菜販蔡炳榮罹患「腸窒扶斯」（傷寒，又稱腸熱症），日人採取的措施，除將該名菜販送至離第二市場不遠的臺中醫院進行隔離醫治外，日本衛生人員還至第二市場內消毒相關菜架。

　　從上述白磚設計、冷藏庫、便所等環節可見第二市場改建後的衛生改進，這些分屬不同的衛生環節，部分是飲食衛生，部分是衛生工程，可見要達成市場衛生的目標，需從多方下手。

　　對於曾經生活在甲午戰前和日人治理下的「臺中人」而

言，他們對市場前後感受的差異應該是頗為顯著的，之前對市場的印象大多是攤販在街邊聚集，所賣的魚、肉、蔬果露天擺放，生食熟食混雜著販賣，加上多無個人衛生觀念，各種氣味交雜，環境可說是雜亂無章，既不衛生，又有礙市容。

之後在日人積極將市場納入公共衛生範疇的理念下，他們用國家的立場和力量進行規範和整治，人們去市場時，應有著完全不一樣的感受，過去再熟悉不過的市場，現在竟然有著高大的建築物，專門供食物擺設的店鋪，而且購物環境變得清潔許多，通風和採光亦變佳，貨物商品的陳設較具秩序等。

例如，明治 38 年（1905 年），我們從當時報紙報導彰化員林設立公共市場前後環境的差異，可見日人推動衛生的努力和成效：

員林自卅五年建築市場及屠畜場，創立衛生組合，幾費數千員，越明年集三千員，雇技手購紅毛塗築造二條溝路，決水通流……回憶十年前，獸肉魚菜，壅滿街中，臭穢難堪者，今竟內外清潔，恍如玉山上行。昔之溝水垢汙，今則可濯纓濯足

矣，令人撫今追昔，有如隔世之感。微特瘴癘不侵，即百斯篤諸疫疾，亦罕聞罕見。洵地方人民之幸福，果誰為之，要皆衛生之功效也。

員林市場環境重視各種衛生措施後，溝水變得潔淨，傳染病發生機率減少許多，這些都是衛生帶來的明顯益處。同樣的，日治時期臺中第二市場一方面是市民日常購物的場所，有其商業機能，另一方面，總督府更希望藉由市場內空間的配置，如明亮、通風的設計，配置便所等，無形之中，養成市民個人衛生的習慣和公共衛生的概念，實際上也有助其殖民統治，而且，衛生觀念又是判斷現代國家或個人是否「文明」的重要價值之一，總督府希望透過公共市場的相關措施，讓臺灣人民的思維和行為和以往全然不同。

1934 年，臺中州員林地區倡導孩童應定期進行衛浴，以奠定環境衛生的基礎。（國立臺灣大學圖書館／提供）

繁華熱鬧的第二市場早市。（陳文彥／攝）

市街之味 | 臺中第二市場的百年風味

紅磚、角樓、六條通的魅力

第二市場空間配置與建築風格

衛生問題已經無須擔心，接下來便是關於其外觀與造型的創意——市場仿照歐洲建築方式建造，給予氣派而恢弘的感受，希望市場除了發揮本身的買賣商品功能之外，即使只是閒逛，也能有耳目一新的愉快心情。日治時期的政府投入臺中第二市場建設的心血，不亞於日本本土，將之作為藝術品看待，深深嵌進臺中城的城市風景。

| 菜市場建築也可以是一件藝術品 |

今日的我們從第二市場的六角樓，依稀仍可感受到第二市場的美感，這也是日治時期臺灣市場的特色之一。和早期漢人市場不同的是，日治時期全臺各地市場建築還特別強調美觀，市場仿照歐洲的建築方式，希望給人一種較為氣派、恢弘的感受，有利於城市地景的塑造。各地市場相互競爭和「比美」，如苗栗市場「與臺北市場比之，雖規模較小，其外觀之美，卻有過之」，顯見外觀的美醜是當時評價市場的要素之一。

歲月流逝，時代更替，然而第二市場的六角樓依舊優雅而沉靜地佇立於原處。（陳弘逸／攝）

同樣的，日治時期，臺中第二市場不僅僅是一座市場，某種程度上，日人亦將其當作一件「藝術品」，有其建築美學，鑲嵌和融入在臺中城的城市地景當中，小至一磚一瓦，大至整體外觀，都展現大正、昭和時代建築特有的風格和審美觀，感受到日人對市場建築的重視。它可以說是一面鏡子，我們可從文獻、圖像當中，討論其磚牆、窗戶、屋頂、桁架、色調等設計、形制的細節，一方面看它如何反映日治時期市場建築的普遍特色，另一方面也看其設計獨到之處。

　　另外，第二市場建造之初，因它在城市中被定位為市場的功能，使設計者除了美觀、美學之外，還需考量到人們出入動線、公共衛生、貨物儲藏空間等層面，做出綜合的空間規劃。從這些因素可知，要建造一座人人滿意的市場，並非一件容易的事。

　　在臺中各市場中，第一市場建成時間最早，始建於明治41年（1908年），比第二市場早約十年。然而，在建築設計上，第二市場那富有特色的「Y」字形主體建築，卻是領先第一市場的，第二市場建築落成的隔年，第一市場才仿效建起外觀近

乎相同的主體建築，兩者可稱為姊妹市場。

　　第二市場初建時為日本大正年代，1930 年代改建時則為昭和時期，建築風格均仿西式。首先，我們先看其主體的六角樓，初建時，其特徵為紅磚，採用大正時期厚實磚砌承重牆的風格，所謂承重牆是指建築本體的支柱無法輕易移動，承重牆所用磚的材質，比起非承重牆來得好，磚的厚度也厚實許多。據鍾順利的碩士研究，這樣多邊形角樓的建築風格在當時全臺各地公有消費市場普遍可見，知名者如當時臺北西門市場的八角樓（八角形）建築。

　　就正面的視覺效果而言，六角樓讓人有宏大的感受，三個正面的頂部還有類似山頭（pediment）的設計，這是一種仿希臘的三角形建築，算是美化建築物的一種裝飾，在第二市場老照片上，在其正面的山頭上，上面還刻有市場兩字。

　　在當時臺中不同官方建築之間，其正面強調的效果又有所差別。例如，臺中州廳（當時臺中市府所在）的正面顯得特別突出、高大，採取歐洲所謂曼薩爾式（Mansard）屋頂，十分華麗，予人莊嚴和富麗堂皇的感受，這種屋頂形式也見於當時

106　The Prefectural Office of Taichu,　(臺中)　臺中州廳
州下統治の本源、地方開發、人民の指導、矯風、教育、產業等皆ここに
本據を置く

臺北賓館 (15)，象徵統治者政治權力的氣勢。

　　另外，就鳥瞰圖而言，臺中六角樓的商鋪設計則為「Ｙ」字形，和臺北八角樓旁市場商鋪的設計為「十」字形一樣，實際上都有著建築上的幾何美感，「十」字形四翼之間的角度為90度，「Ｙ」字形三翼之間的角度約為120度，能給予人一種和諧、對稱的美感。而如此「放射狀」的動線設計，另一考量

為了予人莊嚴的觀感，臺中州廳採取曼薩爾式（Mansard）屋頂，建築樣式也十分宏偉華麗，以此象徵統治者的氣勢。（國家圖書館／提供）

就是人們出入的方便，由於市場人來人往的特性，人們最好能自由地從各個方向進入和離去，而「Y」字形的設計其實滿符合這樣的需求。

在用色色調上，第二市場以紅色為主，白色為輔，這也是大正時代公有建築的風格之一，臺中類似建築不少，例如始建於大正 2 年（1913 年）的臺中州廳，其兩翼多為紅色磚造建築。至於建於大正 9 年（1920 年）的臺中高農，其入口處和兩側，同樣都是紅色和白色相間的磚造建築。

進一步探究第二市場建築物的設計風格，可知它和日治時期流行於臺灣的「辰野金吾」風格類似，並從中可知許多日本來臺建築師精采的人生故事，他們在臺灣的工作，見證了異文化建築藝術的交流。辰野金吾（1854 年～ 1919 年）是 19 世紀末至 20 世紀初日本知名建築師，負責設計過明治 29 年（1896 年）日本中央銀行總行、大正 3 年（1914 年）日本東京車站等極具指標性的建築物，明治時期，他跟隨來日本工作的英國建築師學習，是日本近代首批接觸和學習西方建築學的人士之一，也曾訪學英國，他相當欣賞建築師理查‧蕭（Richard

辰野金吾

日本佐賀縣人，年少時，拜師於明治政府招聘的英國建築顧問孔德（Josiah Conder），明治 13 年（1880 年，27 歲）前往英國留學，他學成歸國後，執教於東京帝國大學，成立建築學會，與學生合開建築事務所，子弟頗多，影響力頗大。其建築作品有濃厚的英國風格，如他的白色橫條間飾即是對維多利亞時期英式紅磚建築的改良。

N. Shaw，1831 年～1912 年）紅白相間的風格，英國在 19 世紀末和 20 世紀初，也有許多類似風格的建築，如倫敦的西敏主教座堂 (16)（Westminster Cathedral，該教堂設計者為 John F. Bentley）。辰野金吾回國之後也加以仿造和改良，他最知名的設計風格之一就是以紅磚搭配橫條灰白色的飾帶著稱，予人一種華麗兼具典雅的感受。

辰野的子弟有許多後來都到臺灣工作，於是也將老師的風格帶入，例如，臺灣總督府的設計者森山松之助 (17)（1869 年～1949 年），即是拜師於辰野金吾門下，他也是臺中州廳的設計者。這些日籍建築師來臺後，無形中擔任建築文化交流和傳播者的角色，使得日治時期的臺灣多了許多具歐洲風格的建築物。

至於第二市場中央六角樓的屋頂，從 1930 年代市場改建後的照片可知，當時應採一六邊形小方頂的設計，呼應六角樓的幾何形式，這種在建築屋頂的中央再增加小型建物的做法，也常見於大正時期的建物，如臺中火車站的屋頂中央為一小尖頂。

森山松之助

日本大阪市人，父親為議員，家世優渥，自東京帝國大學建築科系畢業，因緣際會下來臺，後在總督府營繕課擔任技師，曾參與總督府建築的競圖，最後結果雖落選，但原先獲獎者的建築因未考慮臺灣潮溼的氣候，使得森山松之助的許多設計獲得採用，成為實際設計者，他於大正 10 年（1921年）返回日本，在臺十六年間，總共設計十餘座公共建築。

在日治時代，具有象徵臺中城市發展起飛之意義的臺中火車站。（國立臺灣大學圖書館／提供）

在第二市場三個支翼的屋頂結構部分，主要採取兩坡頂設計，方便排水，適應臺灣多雨的氣候環境，屋頂內部則採西式三角形桁架做支撐，據研究，如此的設計較為「剛性」，較不易變形，可與周邊的承重牆相配合。木製桁架的形式亦分為偶柱式桁架、中柱式桁架、芬克式桁架等多種形式，目前因為缺乏資料，關於第二市場初建和改建時，桁架的形式還需進一步考察。

【右頁圖】第一市場正面圖，與第二市場的內部構造十分相似。（國立臺灣圖書館／提供）

窗戶方面，從日治的舊照片來看，第二市場各建築的窗戶多採狹長形的上下疊窗，但六角樓的窗戶，其頂端略具弧形，

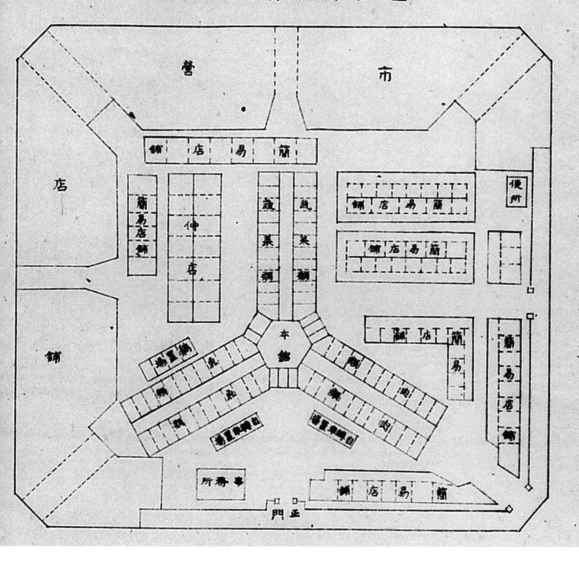

臺中市榮町消贊市場配置圖

和三個支翼的方正略有不同，上下疊形的窗戶 (18) 利用槓桿原理，使窗戶可以停留於任何位置，據稱這類窗戶的採光和通風效果極佳，故日治時代的市場、學校等建築，為適應臺灣悶熱潮溼的熱帶和亞熱帶氣候，許多皆採用上下疊窗的設計，不是今日所見左右開窗方式。

此外，據鍾順利研究，在日治時期，規模越大的市場，為了不讓人們產生視覺上的壓迫感，市場本體建築通常不會緊鄰馬路邊，而是內縮一段距離，第二市場也有這樣的特徵。在一些照片中，仍可見第二市場的本館建築外圍，有矮牆與旁邊的馬路做一區隔。

我們從檢視第二市場各建築的細部環節可知，日人的確投注許多心力在其中，從一磚一瓦、窗戶、屋頂、總體設計等，都有其理念和作用存在。對日人來說，市場絕對不僅是一買賣的場所。對臺灣漢人而言，和之前傳統市場相比，日治時代的市場建築，確實會令他們有著「煥然一新」的全新感受，沒有想過僅是日常買賣的市場，也可以蓋得如此宏大、美觀。

| 如何蓋出美麗又不怕髒的菜市場 |

臺北西門市場在日治時期稱為「公設西門町食料品小賣市場」，又稱新起街市場 (19)，位於今日西門町一帶，為日人來臺後，最早建設的公有市場之一，十分具有象徵意義。其實，臺北西門市場和臺中第二市場在不少方面有著類似性，西門市場周邊同樣是日本人的居住區，市場消費族群以日本人為主。

西門市場建築設計者為近藤十郎，他和辰野金吾一樣，同樣受教於英籍建築師孔德（Josiah Conder），畢業於東京帝國大學。除了新起街市場，臺北許多建築物的設計，如臺大醫院舊館、大稻埕市場、建國中學等，也是出自他的構思。他來臺後進入總督府營繕課擔任技師，其來臺後的住所就在現今西門町附近。近藤十郎在臺時間頗長，從明治39年（1906年，30歲）至大正11年（1922年，47歲），前後待了超過十五年時光，可說是將人生最精華時期貢獻給臺灣的建築。

近藤十郎和辰野金吾兩人的教育背景相似，設計的風格也有類似之處，例如西門市場的行政管理中心為八角樓、第二市

臺北西門市場落成不久的外觀，從中可見辰野金吾紅白相間的建築風格。（國立臺灣大學圖書館／提供）

場則為六角樓，有其幾何相似性。

建築用色、材料方面，西門市場和第二市場基本上都屬紅磚建築，比起第二市場，西門市場外觀用色上，「紅白相間」的風格更為明顯。

西門市場主題建築為八角樓和十字形的店鋪，之所以如此設計的原因，一個有名的傳說是該地點之前為墓地，故建築設計者以「八卦」和「十字架」的建築來震懾鬼魂。

臺北西門市場屬全臺最早建造的新式公共市場之一，在它之前，臺灣已有一些市場建築，臺北在還未建造新式市場之前，其環境、衛生同樣為日本人所訴病，《臺灣日日新報》稱「本島除臺北外，各地之都邑市場，漸次改善，殊可為市政上衛生上慶焉。就中如臺南之市場，其大規模，大潔整，有足稱為全島之模範者。其他若斗六、若鹿港、若淡水、若基隆，其程度之差，猶較臺北為良好，諒世人之所知也。夫以此等之地方市場，猶如

市街之味｜臺中第二市場的百年風味

此改良修築，況全島之首腦之臺北之市場，而穢惡依然，僅存舊政府時代之遺物，甚非臺北市之面目也其及公眾衛生之危險。」上文提到以臺北的政經重要性，卻沒有一座稱得上水準的市場，實在是說不過去，衛生程度甚至比地方市場更差。

十分重視公共衛生的日人，對臺北西門市場 (20) 寄予厚望，希望藉此有效改善漢人的衛生習慣，也因此，它的許多設計多為過去漢人市場所無，但缺點也為後進市場作為借鏡改善之用。例如，採光和通風設計上，新起街市場的窗戶採用上下疊窗的設計，普遍被後來其它市場仿效。又如便所的設計，也是臺灣人未曾見識到的。當時報導稱：「便所及洗面所，各置二個於適宜之處。⋯⋯窗及資出入之處，創設極多，採光通風以至朝夕之洗滌，亦甚便利云。」

通風、防潮之外，防蟲也是臺灣建築採用木造形式時需特別注意的細節，日人十分重視白蟻的問題，當時報導如此描述白蟻的危害，「臺北之木建家屋，被白蟻之害，年甚一年，茲將野村技師之談，揭略如左。白蟻之害，不僅臺北為然，處處如之，祇因其豫防之法未充。故各地之於白蟻為害之事，於家

井手薰

日本岐阜縣人，畢業於東京帝國大學建築科，畢業後曾短暫在辰野金吾的建築事務所工作，明治43年（1910年）來臺後，長期任職於總督府營繕課，協助森山松之助建造總督府，在日治時期臺灣建築史中，具有承先啟後的地位。

屋之建築上，最宜重注意焉。白蟻為害之木料，松、樅、福州杉為最，若內地杉及檜、樟等，其罹害較稀。倘逢白蟻之多者，建築家屋之際，雖以檜、樟為之，經數年後，不能無侵蝕之虞，竹竿者，亦易侵害。」認為無論何種木材，即使是較好的檜木和樟木，都難擋白蟻的啃食。認為當家中有白蟻問題時，並無有效根治的方法，「木造家屋，若生白蟻，則毓處處，欲滅之則不勝滅」。除了「將家屋燒失以外，則無他術，此撲滅之方法，又為世人之所宜研究。」

關於臺灣地區建築物應如何建造成為日治時期日本來臺建築師討論的熱門課題，如木造建築應如何防腐、防潮、白蟻問題應如何防治等等議題。讀者如有興趣，可參考日治晚期昭和4年（1929年）創刊的《臺灣建築會誌》。該期刊是由同年成立的臺灣建築會發刊，該會應是臺灣近代史上第一個由建築專業人士成立的學會性組織，學會成員多為總督府營繕課人士，首任會長是總督府營繕課長井手薰（1879年～1944年），官方色彩頗濃厚，他的建築理念特別重視建築物與地方特色的結合，因此認為臺灣建築物應有其自身的特色，而非一味模仿日本。

｜第二市場的管理祕方｜「Y」字形

第二市場內部建築空間的配置上，除了之前提到當中隱含的公共衛生概念之外，同時也與行政管理、商業機能、消費者的需求等議題息息相關，這些不同需求的空間之間，如何整合、分配，讓市場的日常得以有效率地運作和運轉，也是十分重要的課題。

首先，在第二市場最早的建築體當中，整體呈現「Y」字形，並以六角樓中央的兩層建築作為行政和管理核心，此處也是市場人員主要辦公、開會地點，象徵權力的中心，中間的六角樓有著「一目了然」的作用，人員從此處到三個主要分支建築距離相等，走動相當方便，也很容易觀察市場上發生的各種狀況。因此，關於市場管理中心和市場內商鋪的位置關係，第二市場「Y」字形的設計頗佳。

如果和比第二市場早十年建成的臺北新起街市場相比，西門市場的管理中心為紅樓，但市場內商鋪的空間設計為「十」字形，紅樓並非位於十字的中心，而是位於其中一側，管理者

走動起來需耗費更多的時間。

第二市場在 1930 年代改建後，由於新設的果菜、魚類批發市場等機能，內部空間配置也和之前不同。昭和 15 年（1940 年）4 月，在《臺中市市場要覽》一書中有〈新富町消費市場配置圖〉，十分難得地留下當時第二市場的室內配置圖。商業空間分配上，圖中卸市場（批發市場）和第二消費市場相互毗鄰，卸市場中有「魚介部（日文泛指魚類和有殼類海鮮）」、「青物部」等，其中，「魚介部」旁有冷藏庫。

此外，該圖中，從現今六角樓延伸而出的三條「分支」建築，分別是肉類鋪、魚類鋪和蔬菜鋪，將不同性質的攤商集中在一起販售的做法，可能自第二市場初建時就已開始，和今日我們所見各類攤商混雜販售的情形頗不相同。值得注意的是，同書中還有另一幅〈榮町消費市場配置圖〉，應是第一市場，其中，三條「分支」建築同樣是肉類、魚類和蔬菜鋪，可見其類似性。

另外，比較這兩幅圖之後，也可知第二市場的突出性，第二市場內卸市場的「魚介部」和「青物部」，均為第一市場所

【右頁圖】Y 字形的市場構造能夠讓管理人員以最有效的速度處理、觀察市場的一切動態。（國立臺灣圖書館／提供）

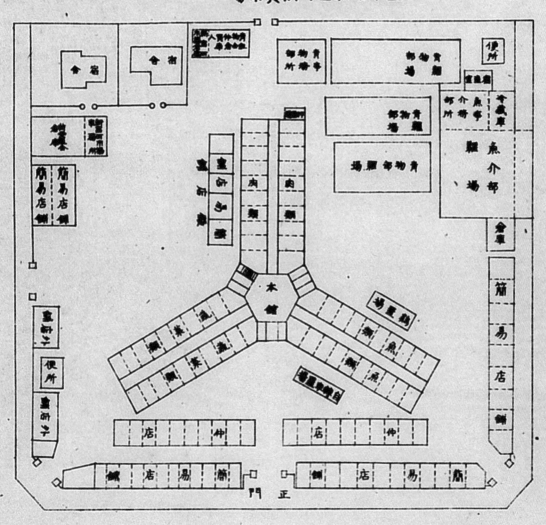

臺中市中卸市場青果物部
臺中市中卸市場魚介部 配置圖
臺中市新富町消費市場

沒有的，反映出如要買各式水果或需要冷藏的海鮮類，可能要到第二市場較能購買得到，顯示它提供的功能更多樣，或許是它在臺灣光復早期被稱為水果街的原因。

據鍾順利研究，和先前市場空間相比，此時第一和第二市場均在原有的空間外，再增設「簡易賣店」，作為室內攤位之用，補充部分種類攤位的缺乏，也反映市民對部分貨物或商品的需求，顯示第二市場商業機能的增強，因這也與第二市場周邊街市的發展等有關。

又，第二市場內部的販賣設計，如和臺北相比，也有類似性，現存的昭和 9 年（1934 年）《臺北市中央卸賣市場要覽》裡，在其〈市場概要〉中，同樣也有魚介部、青物部和製冰冷藏部。

除了上述提供商業經營的空間外，第二消費市場還設有其它行政管理等空間。它在 1930 年代改建後，相關功能頗為齊全，除了應有的事務所、便所等空間外，還有部分空間的設計是全臺其它市場所無，例如市場內配置有宿舍，通常緊鄰事務所，供人員休憩之用。值得注意的是，日治時期臺中其它市場，

從新盛橋方向俯瞰第一市場的建築外觀，可以清晰看見市場建築的三個支翼。（國立臺灣大學圖書館／提供）

包含敷島町消費市場、旭町消費市場等，也都配置有宿舍，較不同於臺灣其它城鎮，不知道是否為臺中當地特色。

接著，1930 年代第二市場改建後，在其三條「分翼」店鋪建築的前後，也分別有專門停放腳踏車的地點（自轉車置場），同樣的設施可見第一消費市場，自轉車置場的設置目的，無非是希望避免腳踏車任意停放，而導致雜亂無章，放置自轉車置場後，可有效管理來第二市場消費的交通工具，達到有序、整齊的效果。

第二市場位處交通要衝，鎮日車水馬龍。（陳弘逸／攝）

　　　　　　　　　市街之味│臺中第二市場的百年風味

一日之計在於晨的脈動

第二市場的商業機能

人多的地方自是熱鬧非凡，且能連帶影響周邊的環境。日治時期，由於官方政策的限定，臺中市民想要選購日常所需，選擇其實不多。實際上，市場也可以算是一種生活機能的指標，居住的區域距離市場越近，其條件越佳，更彰顯市場具有促進周邊街市發展的功能存在。

第二市場不但販售各式海鮮乾貨，更有現宰現殺的生鮮魚類供家庭主婦選擇。（陳文彥／攝）

市街之味｜臺中第二市場的百年風味

｜ 四通八達的生鮮王國 ｜

選址是市場建造最重要的考量因素之一，涉及周邊交通、土地徵收等問題。第二市場在最初的選址上，各方曾有許多不同意見，至大正 4 年（1915 年）11 月左右，支持在今日第二市場所在地建造的聲音最大，當時《臺灣日日新報》記載：「臺中增設市場位置：今其位置所關，雖有各種之意見，未至決定，然謂自富貴亭前，至山移辯護士宅地附近，而選定其敷地者，固為今日最有力之說。」但當時反對者的意見主要是「惟於停車場側面，新設此市場，時有極不潔之本島人，喧嚷聒耳於其間，於市街體面上果如何？故有力之持反對者亦不少」。反映當時市場預定區域的附近，出入的「分子」應該較為複雜，「有礙」市容。

這樣的擔憂或許不是沒有道理，前文曾提到第二市場初設後十餘年，市場周邊的衛生情況仍未見改善，或許就與此區域原先的情形有關。另外，大正 7 年（1918 年）4 月，報紙報導新富町新市場的土地徵收，第二市場預定地在福星橋附近，市

場原有建物遭拆除，據聞賠償金約五千餘元。

　　據鍾順利研究，日治時期全臺各地市場與周邊道路的關係，約可區分為四面臨路、角地、單側臨路或袋地幾個類型，其中第二市場屬於四面臨路型，四邊皆是馬路，其中的中山路和三民路兩條道路都是日治時期臺中的一等道路，可見其交通之便利。

　　第二市場最初建設重點之一為魚菜市場的建築，據日治《臺中市史》所記，大正7年（1918年）10月，第二魚菜市場的工程進行招標，總建設經費約37,000元，經過地方土木營建者競標後，由二川組得標。等到年底12月，已報導工程進行中。等到隔年5月，第二市場的改建已經完成，建地約2,400坪，館體建築約320坪，簡易賣店達到53間。據研究，第二市場周邊街道如富貴街，原為漢人廢棄的墓地，經日人租用和「改造」後，街市景觀逐漸改頭換面，也顯示漢人街庄聚落景觀逐漸被取代。

　　第二市場除了是人們消費購物日常所需的場所外，不久後，它也增加貨物批發的功能。大正10年（1921年）左右，

日治時期臺灣的
土木工程業者

日本人治臺初期，即有營造業者隨之來臺，內文中第二市場的土木工程由二川組得標，在日文中，「組」類似於營造廠或營造商的意思。例如清水組（建造高雄火車站）、澤川組（建造臺北西門紅樓）等。其它知名的營造商還有大倉組，該公司是日本規模頗大的建商，來臺設分支後，建造臺灣銀行臺北總行、臺灣大學部分建築等。

臺中州青果同業組合正在
進行農作物的分裝作業，
圖中可見當時的農作物使
用竹籠裝載。（國立臺灣
大學圖書館／提供）

臺中廳公布打算建設「卸市場」，也就是批發市場，專供批發
魚類、蔬菜、果實、肉類等。在此之前，臺中已有專門的漁獲
批發地，大正2年（1913年），臺灣漁業株式會社已開設臺中
魚市場，漁獲仲買人（承銷人或中間商）的人數為30員，手
數料（手續費）約10%。大正11年（1922年），總督府發布
147號令「市場規則」，臺中市內僅能有一處卸市場，調節產
銷。最後，日人選在第二魚菜市場內，另設卸市場，根據當時
《臺中市市場要覽》，卸市場地址為臺中市新富町3丁目1番

婦女製作市場使用的竹
籠。（國立臺灣大學圖
書館／提供）

地。該年設置魚介部，三年後，又另設有青物部。魚類和蔬果
批發市場的設置，也是第二市場和臺中其它市場最大不同點之
一。

　　之後，卸市場內，無論是魚介部或青物部，相關設備陸續
擴充，如有倉庫、事務所和宿值室等。或許為了區別，就在大
正 13 年（1924 年），第二魚菜市場更名為第二消費市場（為
方便區別，下文統一以第二消費市場作為大正 13 年後的第二
市場）。商販如在卸市場進行買賣，須繳交一筆特許費。

第二消費市場在設置青物部後，也很快成為臺灣中部重要的水果批發集散據點之一，此時第二消費市場的旁邊不遠處，即有臺中州青果同業組合。它的前身是中部臺灣果物輸出仲買商組合、中部臺灣青果物輸出同業組合等協會組織，據吳念容的碩士研究，該協會成立後，主要與香蕉的販售和產銷有關，包含香蕉的栽種、收購、檢查、品評會等。根據銷售紀錄，芭蕉（形狀較短而肥）等是臺中市區消費的大宗。

芭蕉是日治時期臺灣大宗水果之一，也是「明星產業」之一，來臺日本人很快注意到臺灣部分水果的「價

日治時期臺中州的香蕉批發市場，交易現場十分熱絡。（國立臺灣大學圖書館／提供）

日人相當重視香蕉的品
質,貨品都須經過嚴格的
檢查程序。圖為正在等待
檢驗的蕉農。(國立臺灣
大學圖書館/提供)

值」,例如臺灣香蕉的美譽遠近知名,香氣獨具,口感軟甜,
日人曾考察高雄旗山,發現當地的香蕉特別的香甜,為他處所
不及,也因此,日人特別喜愛臺灣所產的香蕉。芭蕉主要產地
在臺中、高雄、臺南三州,其中,臺中和高雄是兩大主要產地,
最初種植面積並不廣,明治 42 年(1909 年),全臺種植面積
僅 560 甲,產量僅 1,000 萬斤。之後在日人大量消費的需求下,
產量大增。

　　此外,根據昭和 4 年(1929 年)的統計資料,當時第二

消費市場內的店鋪，以賣售「鳥獸肉」的店家最多，達17家，賣生魚的店家亦有16家，其次則是蔬菜類（11家）、水果、鹹魚、日用雜貨等，店鋪總計達到70家，銷售總額約52萬元。

就商業熱絡程度來說，每天進入市場的人數或許是一項指標。根據《臺中市管內概況》，昭和13年（1938年）時每天前往第一消費市場採購消費的人數平均約8,500人，至於第二消費市場則約6,650人，僅為前者的八成。同時期記載皆類似，前者的人數約8,000人，後者約6,000人左右。顯示緊鄰臺中火車站的第一市場，其消費族群除了當地居民外，可能還有因鐵道南來北往的人士，人氣較高。第二市場可能多是在地臺中人前往消費。

想買魚就去第二市場

1930年代，第二消費市場改建後，在增加銷售空間的設計下，其部分物品的銷售額出現明顯的增長，顯示其促進商業的功能，其中或許以「鳥獸肉」的成長最明顯。根據《臺中市產業統計》，第二消費市場改建前，其「鳥獸肉」年銷售額約

14 萬元，僅為第一消費市場的 50% 左右，但改建後的幾年，在昭和 10 年（1935 年），其年銷售額變為 30 萬元，成長近乎兩倍，和第一消費市場不相上下，顯示消費需求的增加。在總店數方面，昭和 2 年（1927 年），第二消費市場的總店數是 51 店，總銷售額為 29 萬元，昭和 12 年（1937 年）的總店數則為 114 店，總銷售額為 73 萬元（前者的兩倍多），顯示市場改建後，確有其效果。

至於同在第二市場內的卸市場（批發市場），其青物部方面，昭和 10 年（1935 年）至昭和 13 年（1938 年）間，成交量最高的蔬菜是大根（日本白蘿蔔），年銷售額超過 2 萬元，白菜、茄子、胡瓜、玉蔥等，也都超過萬元。水果方面，同樣在上述年代，銷售最好者為桔子，其次則是芭蕉、西瓜、鳳梨等。從這些肉類、蔬果，也可知日治臺中市區，甚至臺灣中部的飲食消費習慣，將於下一章討論。例如，昭和 7 年（1932 年）的統計，臺中州香蕉種植面積達約 1 萬甲，收穫高達約 1 億 4,000 萬斤，占全臺芭蕉產量的 40% 強，主要產地為大屯、霧峰等地。高雄次之，收穫約 1 億斤，就全臺收穫量來說，和日

【右頁圖】1940 年《臺中市產業統計》中呈現的第二市場鳥獸肉販售量變化之情形。（國立臺灣圖書館／提供）

年　次	蔬　菜		果　物		鳥獸肉		魚　介	
	賣店數	賣上高	賣店數	賣上高	賣店數	賣上高	賣店數	賣上高
		円		円		円		円
大正 10年	…	…	…	…	…	…	…	…
〃 11 〃	…	…	…	…	…	…	…	…
〃 12 〃	…	…	…	…	…	…	…	…
〃 13 〃	…	…	…	…	…	…	…	…
〃 14 〃	…	…	…	…	…	…	…	…
〃 15 〃	…	…	…	…	…	…	…	…
昭和 2年	17	142,305	7	38,243	32	296,210	15	292,320
〃 3 〃	17	148,435	7	42,560	31	298,342	15	351,020
〃 4 〃	13	94,851	4	94,207	25	249,372	11	184,083
〃 5 〃	16	90,955	3	27,847	27	342,537	12	179,576
〃 6 〃	16	99,533	3	24,147	28	351,120	14	184,015
〃 7 〃	13	85,150	3	21,140	28	277,699	12	195,083
〃 8 〃	10	83,560	26	21,600	38	255,940	11	205,650
〃 9 〃	10	83,550	3	24,650	25	264,020	11	144,930
〃 10 〃	16	86,610	6	21,090	28	274,920	16	151,735
〃 11 〃	9	115,931	2	9,830	26	359,237	9	243,902
〃 12 〃	8	121,655	2	19,206	26	384,738	12	244,592

年　次	蔬　菜		果　物		鳥獸肉		魚　介	
	賣店數	賣上高	賣店數	賣上高	賣店數	賣上高	賣店數	賣上高
		円		円		円		円
大正 10年	…	…	…	…	…	…	…	…
〃 11 〃	…	…	…	…	…	…	…	…
〃 12 〃	…	…	…	…	…	…	…	…
〃 13 〃	…	…	…	…	…	…	…	…
〃 14 〃	…	…	…	…	…	…	…	…
〃 15 〃	…	…	…	…	…	…	…	…
昭和 2年	7	34,250	1	4,970	16	132,135	10	100,212
〃 3 〃	8	51,240	2	6,775	16	142,220	10	124,312
〃 4 〃	10	51,063	2	4,429	16	219,681	16	160,477
〃 5 〃	12	53,659	4	9,246	16	228,692	21	166,034
〃 6 〃	8	67,115	3	17,401	21	242,294	23	185,941
〃 7 〃	12	73,139	3	24,713	22	254,115	20	209,232
〃 8 〃	12	78,165	3	19,405	22	259,885	20	216,812
〃 9 〃	12	59,380	3	12,580	22	285,460	20	153,790
〃 10 〃	15	76,200	3	15,900	18	334,400	24	187,500
〃 11 〃	13	55,750	3	12,150	18	305,100	19	95,800
〃 12 〃	8	56,123	3	15,591	19	332,643	24	106,188

市街之味 │ 臺中第二市場的百年風味

治前期的 1,000 萬斤相比，後期的差距達到三十倍之多。

第二市場改建後，其青物部年銷售額的變化十分明顯，大正 13 年（1924 年）僅 11 萬元，昭和 12 年（1937 年）時已增為 39 萬元，增幅超過三倍，使第二市場作為水果批發中心的功能更為顯著。

魚類方面，依據《臺中市產業統計》，第二市場魚類批發市場銷售額最高的應是「血ダイ」（血鯛，俗稱盤仔魚），「カジキ」（旗魚）賣得也相當好，這兩種魚類每年銷售額均在 5 萬元以上，此外，「グチ」（黃花魚）、「エソ」（狗母魚）、「サバ」（鯖魚）等，亦有萬元以上，或許反映市場周邊日常食用的魚類，旗魚、鯖魚都屬於海魚，是日人偏好的魚類，和第二市場坐落日人住居區的情形相符合。

第二市場內的卸市場魚介部，年銷售額方面，大正 10 年（1921 年）約 29 萬元，到昭和 12 年（1937 年）已約 51 萬元，成長幅度約六成。

然而，上述第二市場供應的魚類、蔬菜等，主要的消費群可能還是日人或臺灣社會中上階級人們，當時一般農民仍處於

【左頁圖】臺灣總督府農事試驗場中，工作人員正在試驗香蕉種植的程序。（國立臺灣大學圖書館／提供）

1938 年，第二市場舉辦
水產節慶祝活動。（國
立臺灣圖書館／提供）

殖民經濟之下，生活樸實，一年當中難得食用肉類，許多人仍
以番薯籤、野菜果腹。

　　改建後的第二市場，或許由於設備較為新穎，成為臺中的
代表性市場之一，加上又是漁獲的批發市場，有時日人在此舉
辦水產節慶，例如，昭和 13 年（1938 年）的全國水產日（每
年 4 月 13 日）就是在此舉行，在現存的舊照片中，人們在第
二市場某一入口前張燈結綵，掛上日本國旗和鯉魚旗，人們並
西裝筆挺拍照紀念。

　　第二市場的漁獲批發和銷售，也約略反映當時臺灣漁業的

發展。日治時期是臺灣現代漁業發展重要的起步和轉型階段。

臺灣位於洋流交匯處，漁業資源豐富，日人視臺灣為拓展日本漁業資源另一重要據點，故治理臺灣時期，有別於傳統漢人單純的漁撈，總督府積極從調查、技術、教育、產業扶植、法律等多層面著手，日人進行的一系列措施包含對臺灣周遭海域漁業資源的調查，如在一幅 1920 年代的臺灣沿海水族分布圖中，就標出各地盛產的魚類，高雄附近為旗魚、黃花魚、鯛魚；基隆到新竹一帶則是鰤魚（俗稱青甘魚）和鯛魚；東部海域則有許多鰹魚（俗稱柴魚）；苗栗、臺中、彰化一帶則是盛產鯔魚（俗稱烏魚），時至今日，這些魚類的分布仍頗符合現狀。日人對各種魚類也積極做出分析，如日人十分看好臺灣東海域的鰹魚業，認為前景十分有望。

此外，日人成立專門的水產學校，成立各式漁會組織、協會，如臺灣水產協會，在各地舉辦講習會，刊行專門雜誌如《臺灣水產雜誌》、《臺灣之水產》等，介紹、引進相關設備、技術和人才，並實施漁業相關法令規章制度。

臺中地方的漁業發展方面，日人在梧棲等地設立水產試驗

水族分布圖

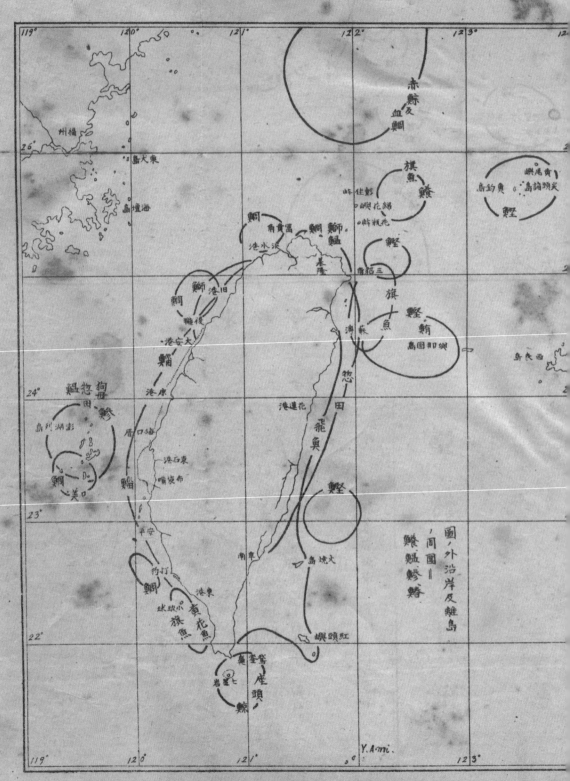

Y.Ami.

總督府的水產試驗船「照南丸」。（國立臺灣大學圖書館／提供）

場，也調查臺中州沿海一年中各月份海水的表面溫度（如距岸20浬內，每5浬進行檢測；距岸20至60浬間，每10浬進行測試），了解洄游魚類與溫度之間的關係。這些基礎資訊都有助於漁業的研究和茁壯。

　　又例如臺中沿海多產俗稱「烏金」的烏魚 (21)，日人也視之為漁業發展重要方向之一。早期漢人漁民原已懂得烏魚子的製作。日治時期，一本雜誌上記載烏魚的特性，稱「冬至寒前驅前來，年年確信順流堆，漁家整網牽期港，獲剖魚身戴卵回」，另外亦稱「本島有一種信魚（俗稱烏魚），例年於冬至

【左頁圖】1920年《臺灣之水產》一書中，收錄臺灣沿海的水族分布圖。（國立臺灣圖書館／提供）

前後十日間盛出，歷驗不爽」，說明烏魚洄游性魚類的習性，每年12月冬至前後，總是準時地報到。為提升烏魚子製作技術，日人更延聘日籍專家來臺傳授心法，使其更為肥美，口感更佳。明治43年（1910年），《臺灣日日新報》刊登中部地區烏魚子產業的進展：

彰化水產組合，原鹿港地方之漁夫，所獲魚類，唯售出最為困難，水產組合設立之餘，凡所獲魚類悉歸該組合購入，諸漁夫已無困難之憾。該組合於研究獵漁方法，及改良漁具等，大費苦心。然最注意者唯製造烏魚子，整月前已由長崎聘請技術員村田氏，以改良其製造方法。聞村田氏多年從事事業，其技術老練。現製出品甚佳，與長崎比之，無些遜色，且價格倍加，各處之約購紛紜，兩月間之產出量二千斤以上，價額約三千圓。

這篇報導提至日本人如何改善過去漢人傳統的捕魚方式，以及特別注意烏魚子業的發展，經過教導後，臺灣所產烏魚子，

品質已不輸日本，各地訂單紛至。

幾年後的大正 7 年（1918 年），臺中烏魚子又獲好評：

臺中廳下二林支廳管內王公庄，本年獲有烏魚。……，依內地式，督製為烏魚子，比之南部方而製品尤佳，於島內市面而外，且移出內地，假香港丸所載，頗得佳評，市價亦昂。本日有內地行便船，合更移出本年烏魚。比例年更高。

然而，日治初期，日人稱臺灣漁業「本島水產製造，尚未脫幼稚之域」，也提到「本島水產養殖，比內地之養殖，全然異趣。……養殖魚中，最重要者虱目魚、鰱魚、草魚等。……給餌方法，自內地人觀之，莫不詫為奇想天開。法極原始駁雜。」此外，也稱「阿緱廳（屏東）下東港一帶沿岸，本為鱙魚聚族淵藪處，漁人自應網羅漁利，乃因網羅無法，而漁利終見無幾，殊多遺憾。於是東港漁業組合，曾託該廳代聘一漁師來臺，教授捕魚諸法，聞已向山口縣招聘漁師二名，近日將告到云。」可見，在日本人眼中，臺灣傳統漁業仍處於十分「原

始」的階段。經過努力，臺灣漁業已有相當大的進展，就大正元年（1912 年）和大正 5 年（1916 年）相比，短短幾年之間，漁獲量就增加兩倍。

但是，相對日本而言，臺灣漁獲產量仍不算高，且據研究，即使到大正年代，臺灣從日本進口的魚類總產量，仍比臺灣本土的消費量還要來得高，顯示對日本漁產品的依賴。這樣的現象，與當時臺灣日本人和漢人等不同族群的消費習慣、消費水平等皆有關聯。

第二市場改建後的 1930 年代初期，日本帝國在東亞的擴

張尚稱穩定，昭和 7 年（1932 年），滿洲國剛在東北成立，日本各地大肆慶祝，此時各項物資供應仍顯充裕。但昭和 12 年（1937 年）起，中日戰爭開打，等到昭和 16 年（1941 年）起，珍珠港事變後，日美太平洋戰爭爆發，臺灣進入食物補給體制，物資供應如肉類、魚類越來越顯艱難。

關於在第二市場營業的商人和商家，對於這些名不見經傳的小人物，目前所知資料不多，較難得的是，昭和 16 年（1941 年）的《臺中商工案內》，記載臺中各行各業人士的名錄，留下在第二消費市場（新富町市場）營業商人的姓名和商號。我們從中也可得知和分析第二市場商鋪的經營類型，尤其部分商家的類型，這在之前提到的商鋪配置圖中，是無法看出的。

位於中心六角樓延伸而出的三翼建築裡，絕大部分都是食材的店家，他們的位置位於市場核心的建築內，豬肉商有蔡郁文、邱秋榮、廖金海等十餘位，賣雞、鴨者則有許火炎等人，蔬菜商有翁坤淵、林秋等十餘人，鮮魚商有楊清泉、莊連登等人。

至於《臺中商工案內》記載的非食材類店家，則應多位於主體建築外的簡易店鋪區。食物方面，經營「飲食物」生意的有李瑤、廖有德；賣天婦羅生意的是林生旺；賣豆腐的劉老吉。至於雜貨類，專賣和洋雜貨的有張金英、謝肚、洪水得等人，張金英開設的店鋪就叫做「東京屋」，這些專賣日本商品雜貨的店鋪應該也是第二市場被稱為日本人市場的原因之一。有趣的是，在當時臺中其它消費市場中，均有店鋪販售日本雜貨，不限於第二市場。其它位於第二市場內的店鋪種類，尚有販售菸草、小間物（婦女用零星雜物）、化妝品、玩具、洋服等，種類和選擇可謂十分多樣，顯示來此消費顧客群的多樣化和各種商機。

　　第二市場內店鋪的安排和設計，實際上和稍早的臺北新起街市場有著類似性。日人安排新起街市場內各店鋪的位置，有其大略的分類，根據現存商鋪位置區位圖，位於「十字形」建築內的店鋪，多為魚類、肉類、蔬果類。至於八角樓和外圍的店鋪，則是販賣各式雜貨，包含玩具、化妝品、漆器、茶道具、熟食攤位，甚至機械器具等，反映新起街市場功能的多樣化，到此消費

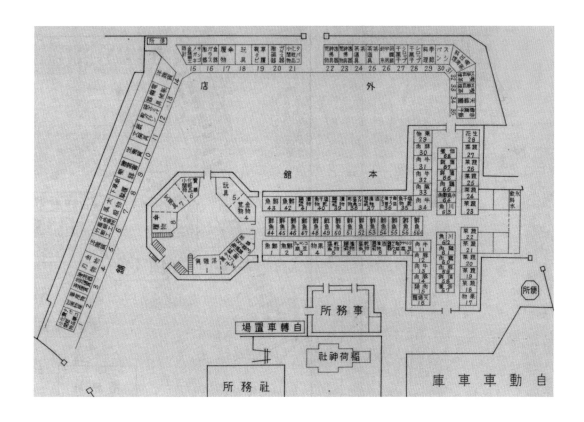

人群的多樣化和各種商機，顯示人們到此採買食物之外，還有其它的需求，例如，化妝品商鋪的客群應該是婦女；玩具類的使用者無疑是孩童，可能是隨母親到市場的孩童，吵鬧著要買，或是婦女採買食物之餘，也會至玩具店購買小玩意回家。

1939 年臺北市役所《食料品小賣市場要覽》內收錄臺北西門市場店家分布圖。（國立臺灣圖書館／提供）

| 餐桌上的攤商聯誼會 |

市場管理機制方面，日治時期，臺中消費市場由市役所勸業課管理，根據《總督府職員錄》，日治時期，當時臺中州（1920 年～ 1945 年）下轄的各個消費市場（日治晚期約有五個），共配置專門書記約兩名，另外數名雇員。至於第二消費市場旁的卸市場，或許因為魚類和蔬果兩個批發市場的年銷售額，加總起來更高，故其配置的書記和雇員名額，人數比起前者來得更多。或許也是因為批發市場的緣故，第二市場有著其它市場所無的空間，例如事務所、宿值室等行政人員休息和辦公室等。

約在昭和 10 年（1935 年），第二市場的攤商自治組織也有所發展，當時《臺灣日日新報》報導：

臺中市第一消費市場商人八十一名，第二消費市場商人七十名，竝行商人二十名，為圖同業親睦發展及保持整頓清潔，依市職員指導，各設消費市場組合。第一市場，于定二十八夜，在醉月樓；第二市場，二十九夜於小西湖。各舉創立總會，審

議會則竝選舉役員、推薦顧問等。又第三市場，合干城町市場，不日亦將舉發會式云。

上述報導可知臺中市府成立「消費市場組合」的目的，一是希望同業和睦，避免惡性競爭，另外則希望攤商幫忙維護市場環境的清潔，攤商如有其它問題，也可透過其向殖民當局反映。

當時報紙中不時可見商人們定期於醉月樓、小西湖等場所舉行集會，醉月樓是日治臺中十分知名的臺灣料理店。尤其，第二消費市場商人聚會的小西湖，為臺中知名咖啡屋之一，是文藝人士喜好的場所。

除了市場功能外，有時第二市場也發揮其它社會功能，昭和元年（1926 年），臺中新富町和錦町兩派出所舉辦的保甲會議，就在六角樓的二樓舉行。

｜買完菜，來喝杯咖啡吧！｜

市場常是人潮聚集之處，加上日治時期，政府嚴格管制市場，私人攤販遭禁，故公有市場是人們主要進行日常採買的地

點之一，應有促進區域發展的作用。日治以來，第二市場經歷改建後，規模日益擴大，同時隨著日治時期不同階段的進展，第二市場周邊街市的商家也有不同面貌，或許我們從周邊商家的性質，更能看出第二市場與周邊區域存在怎樣的連結與關係。

首先，第二市場旁有數間日本料理店和臺灣料理店，前者如富貴亭和松葉，後者則有聚英樓、明花樓、世界樂等。新竹仕紳黃旺成（1888 年～1978 年）描述他來到臺中時，時常去醉月樓、聚英樓等地飲酒尋樂，大正 11 年（1922 年），稱：「予被鍵塘招至聚英樓，捫腹視肴蓋無餘地可容矣，素梅、玉女、阿英三伎備酒，十時半再至鹽田館少聚而散」。林獻堂在日記中不時記載他在聚英樓款待人們午餐和晚餐。

其次，第二市場周邊亦有大型消費娛樂建築，例如，大正 8 年（1919 年）創立的樂舞臺，位於柳川旁，其中播放臺灣傳統的歌仔戲，也有默劇等，樂舞臺的功能是多樣的，有時在此也舉行群眾集會和演說等。等到 1930 年代，有聲電影逐漸取代默劇，臺中亦設立映畫館（電影院），引進設備，據稱可容納千餘人，為當時最新穎的休閒娛樂之一，與第二市場的距離

樂舞臺位於柳川旁,功
能多樣,除了播放臺灣
傳統的歌仔戲、默劇等,
也會舉行群眾集會及演
說。(國立臺灣大學圖
書館/提供)

不算遠。從樂舞臺到映畫館,反映日治時期臺灣人們不同階段
的娛樂生活。

　　接著,從大正到昭和年代,日本流行起咖啡文化,這股時
尚風潮也吹到臺灣,1930 年代,以臺北為首,高雄、臺南各地
紛紛建起咖啡屋,顯見當時消費者對此消費空間的認同,臺中
也是重要據點之一。根據昭和 16 年(1941 年)《臺中商工案
內》,當時臺中已有八間咖啡屋,四間為日人所開,另四間為
華人經營,新富町內亦有一間咖啡屋,以陳水龍名義經營的第

一會館。火車站前的榮町和大正町，就有四家，分別是日活、日之本、大陸、太平樂等。日治晚期，這些咖啡屋一度成為時尚的社交場所，但是，和現今我們對咖啡店的印象不同，當時咖啡屋有其特殊的文化，店內常有女給招待（女服務生），略帶情色意涵。

《臺中商工案內》曾記載第二市場商人曾在小西湖咖啡屋聚會，該咖啡屋位於新富町旁的初音町內，營業主為游黃氏不得（游黃不得）。從各消費市場攤商選擇的聚會場所如富貴亭等，或許也可推知他們較具一定的經濟能力。

現存日治時期臺灣仕紳的日記中，皆透露他們的生活如何和咖啡密不可分，例如，昭和 14 年（1939 年），臺南地區的文人吳新榮 (22)，提到他去參加同學會，會後一起去咖啡屋的情景，「會後由居住臺南的老同學請客，到天國咖啡屋去。散會後，和黃百祿、黃奇珍兄三個人去拜訪他們的愛巢。在街上散散步，正好下雨，就走進松竹咖啡屋吃生魚片和喝啤酒聊天。劉景星在第一咖啡屋，去會合後，喝到三點多」。可見當時咖啡屋或許類似現今「居酒屋」的概念，店內提供多樣化的飲食，

日治時代的咖啡屋是象徵時尚的處所，為上一輩人留下鮮明的記憶。圖為臺北某
處咖啡屋，門口招牌可見 CAFE 字樣。（國立臺灣大學圖書館／提供）

且部分營業至凌晨。

在林獻堂的《灌園先生日記》中，時常提到咖啡的各種用途，例如「淑文、淑姈九時餘持咖啡來贈，坐談一時餘乃去」，咖啡在此是日常社交往來的物品。他在生病或需提神醒腦時，也常提到需喝上一杯咖啡。

第二市場所在地為新富町，其北面（離臺中火車站更遠處）則為初音町，該町內聲色風化場所不少，例如設有初音町遊廓（妓院），也有幾處「貸座敷」業如日人重田彌助開設的浪速樓、金承濟開設的朝鮮樓等，也因此，治安狀況較差，不時可見鬥毆、糾紛事件。

從這些周邊飲食場所、娛樂設施可知，第二市場周邊其實頗為熱鬧、繁華，有吃、有喝、有娛樂，人來人往，和其它較偏僻的市場有所不同，我們從中可見臺中中區早期發展的軌跡，第二市場也因地處當時臺中的「鬧區」之一，出入較為複雜，不少社會事件也發生於市場周遭。

第二市場和周邊街市有著連帶、連動的關係存在，在日治時期，由於官方政策的限定，臺中市民如要購買日常所需的食

座人美一エフカ
氏月五松永　者營經

物，選擇其實不多，即使在日治後期，臺中亦只有約五處的公
有市場，故市場實際上代表著是一種生活的機能，居住的區域
如果離市場越近，代表生活區域的條件應是越好，所以市場應
該也有著促進周邊街市發展的功能存在。

臺北咖啡屋「美人座」
的內部及外觀，可見穿
著和服的女侍與穿著西
服的吧檯人員。（國立
臺灣大學圖書館／提供）

和食、臺食都好食

從第二市場看日治時期飲食文化

受後藤新平、巴爾頓等人影響轉趨潔淨衛生的第二市場，藝術般的建築魅力來自
於辰野金吾、森山松之助、井手薰的設計，而發達的商業機能也熱絡了生活脈動，
更綻放著日式飲食文化與臺食碰撞出的美麗火花。在來勢洶洶的和風潮流中，臺
灣菜的美味料理毫不遜色地成功征服日人味蕾，市場就是這場臺日美食精采交流
的最佳見證者。

| 開始吃肉的明治日本人 |

天武天皇

天武天皇是日本第四十代天皇，父親為舒明天皇，又稱為大海人皇子，其兄為天智天皇。此時約是中國唐朝時期，當時日本地方豪族和王權激烈爭奪統治權，之後代表王權的天皇取得勝利，開啟日本中央集權的模式。其中，孝德天皇開始的大化革新（唐化運動），影響深遠。天智天皇死後，引發壬申之亂，大海人皇子與天智天皇的兒子爭奪權位，最終取得勝利，死後諡號為天武天皇。此時也是佛教文化在日本奠基和發展時期，強調不殺生的佛教教義，影響日本人的飲食習慣。此外，天武天皇也編修國史、建立爵位六十級等制，均有利天皇制度的實行。

討論之前，我們需先了解日本飲食文化在 19 世紀末至 20 世紀初發生的轉變，之後再論及日本飲食對日治臺灣的影響。日人在明治維新之前，受中國文化影響頗深，他們許多飲食習慣和中國頗為相似，例如皆以米飯為正餐。特別的是，受佛教影響，飛鳥時代篤信佛教的天武天皇（631 年～ 686 年）頒布「禁肉令」，一般不食用牛、豬、雞等肉類，和馬、鹿等獸肉，魚類也通常只有在特殊慶典時才食用，這樣的飲食風格居然延續了 1,200 年之久，直到明治天皇時才廢止，對今日我們，頗為不可思議，日本舉國上下有過千年之久的「素食生活」。有一種說法是由於營養攝取的問題，這項禁令可能逐漸影響千餘年來日本人的體型，可見其影響之巨。

明治維新時期，日本模仿西方各項制度十分徹底，就連飲食內容和餐桌禮儀等，也都竭力仿效，他們曾探求西方人體格高壯的原因，認為和飲食密切相關，故一改江戶時代以來不食肉類的做法，陸續鼓勵人民食用牛乳和各種肉類。

明治天皇首先以身作則，在日常生活身體力行西方飲食，

達到上行下效的作用。天皇的餐桌上，牛肉、羊肉等各種肉類成為佳肴，酒從原先的清酒變為葡萄酒，天皇穿著西服，學習使用刀叉。天皇在接待外賓時，同樣採用西式餐飲。「洋食」逐漸成為日本人流行的時尚。城市中，西餐館的數量日益增多，人們開始吃麵包，喝咖啡、威士忌，市場中牛、羊肉的消費量大增，我們從吃的方面可以發現日本明治維新的另一個面向。

| 在臺灣也能吃到和風味 |

清領時期，臺灣人民多從閩粵移民而來，加上移民社會生活的不易，日常飲食的菜色多呈現漢人風格，如以閩菜系的湯湯水水為主，這和此時日本飲食習慣差異處不少，例如，日人喜好生食、冷食類的食物，如生魚片等，反觀臺灣漢人則喜好熟食料理。其它差別還有因為農耕關係，臺灣漢人普遍不吃牛肉，但日本在西化後，已普遍食用牛肉等肉類；其它如日本人普遍不吃雞、鴨等動物的內臟，但漢人卻視為美味的珍饌。

又如日治初期，根據日人觀察，臺灣漢人吃魚的風氣，不似日本那麼盛行。《臺風雜記》記載：「臺人嗜獸肉，不嗜魚肉。

是以市上所販，不過鰻、鯉、鱧、鯇數種；此魚大抵生於河及池，所謂淡水魚者也。又有香魚，大過於尺，芳肥脆美，不異我所產。且氣暖而水溫，不拘期節而獲之；年魚之名，於是乎空矣。」表示臺灣漢人或許較常吃淡水魚，少吃海魚。

但在日治時期，臺灣人的飲食風格也逐漸受到日式文化的影響，雙方飲食文化也逐漸交流。日本在許多場合都向臺灣人「展示」西式飲食和餐桌禮儀，如每年 6 月 17 日的始政紀念日就是一個好的時機，總督府為此「開夜會於總督官邸」，期間有舞會、樂隊，飲食方面，「來賓各照所定餐堂入席，堂分東西，席上羅列珍饌，係西洋料理。酒酣，佐久間督憲帶大津警視總長，自繁酒杯，赴東西餐堂，立於中央云，本日為第十三回始政紀念日，為祝賀故，特開夜會。」在重要的慶祝場合，西洋料理成為必備的飲食之一，臺灣「本島人」耳濡目染下也仿效之，西洋料理逐漸成為臺灣人時髦和常見的名詞。明治 38 年（1905 年），日本治理臺灣僅十年，當時報紙就記載嘉義西洋料理店十分鼎盛，許多臺灣人紛紛想要展店。

風氣所及，臺中市也有西洋料理店，如明治 44 年（1911

年），臺中火車站前的店家，以西洋料理招攬客人，「經營臺中驛食堂者，為前田氏，今次新加辦西洋料理，由內地雇洽庖者數人，去十三、十四兩日。響應臺中重要官民，翌日開張」，為了讓食物更具西洋原味，業者還特地從日本請來熟悉的廚師。大正 9 年（1920 年）有名「臺中軒」的料理店開張。

然而，西洋料理在鄉下地區較未普及，大正 15 年（1926 年），一則來自豐原的特訊稱：

東勢庄，山間僻處，而料理尚未進步。武田郡守有鑑及此，聘請西洋婦人為教師，招集三十餘名之婦人，教以西洋料理法。現在新社、大湳教授，聞不日在下山，在東勢庄，再集多數之婦人，而教授之。爾後該庄料理之發達，可以期待也。

臺中東勢位處鄉下，資訊傳播速度較緩慢。這邊以東勢「料理尚未進步」，明顯反映出當時對於西洋料理的價值和認同。

同一年，在臺南，也有「臺南西洋料理，除酒類牛肉炮而外，則以麵食為佳。其曰西洋料理者，從內地人之稱也，臺人

為紀念臺灣拓殖株式會社成立而舉辦的酒宴。與會人士身著筆挺西裝，用餐環境及餐具陳設皆以西式為標準。（國立臺灣大學圖書館／提供）

則呼之曰西洋菜。近來臺南市酒樓，亦有兼製此饌，亦有專製牛肉炮及各種麵食者。」甚至有人專門討論各種西式麵包的製作方式，海綿狀麵包的做法是「如麵包類，中有調似海綿之狀，其製法用美國麥粉十分，重炭酸九分，酒石酸八分，入於乳鉢中。混而為一」，帶酸味的麵包則是「又如麵包類中之帶酸味者，其調和之法，用美國麥粉或小麥粉，二百五十分，加以鹽一匙，操入市上之麥粉三匙，合調之」。大正12年（1923年），黃旺成先生在日記中寫道「在通霄驛買麵包一角以充中食，亦經濟之一法也」。牛乳方面，各地飲用牛乳的風氣日漸普遍，日治末期，臺中登記在案的牛乳商就有七、八人，且分布在市區各地。前一章也提到，日治晚期臺中咖啡店的設立已十分普遍，同樣也是受日本間接傳入西方飲食文化的影響。

在第二市場吃刺身和壽喜燒

我們從第二市場食物銷售的內容也可發現日本飲食的影響，例如，它的食材特點之一就是魚類銷售額的持續增加，可見市民對魚肉的消費需求，就魚的種類來說，它所販售的以旗

日人引進生魚片料理，
一開始讓臺灣民眾十分
卻步。（李偉涵／攝）

魚、鯖魚等海魚為大宗，其銷售對象或許都是當地日人，是日
人常用的烹煮食材之一，消費者可能還包含一些中上階層的臺
灣漢人，反映臺灣飲食文化的變遷。

此外，深海魚類如何運到臺中市也是一項問題，臺中不似
臺南、高雄那麼靠近海邊，市區離海邊實際上仍有一段不小的
距離，明治41年（1908年）《臺灣日日新報》提到解決的辦法：

臺中乏於海魚，固一缺點也，今日雖由南部可運至多少，
然到後非急購而食之，往往至於腐敗，到底無貯藏之法，居其

地者常以之為憾。雖然，若至縱貫鐵道全通後，臺北之製水會社，可於臺中停車場附近，建設一水庫，以應中部之需，乘此機會，市場亦可設海魚之貯藏場，由製水會社定其運資，每日以一定之水讓與之，則海魚必常不絕矣，此事目下市場管理者已在計畫中也。……

可知為讓臺中市民食用到深海魚類，實際上還需搭配許多輔助措施，包含鐵路、製水會社、海魚貯藏場等，從這則報導也可知道日本治理臺灣不久後，食用海魚或已逐漸成為臺中市民日常飲食需求之一。

河豚也是日本飲食文化的代表性食物之一，被視為最美味的食物之一。日治時期，臺灣人民食用河豚的經驗增多，但每年幾乎都傳出中毒的事件，如「東石郡東石庄鰲鼓人廖親，去二十日在鰲鼓海岸，拾一河豚，於中午煮食之。午後一時起腹痛，吐瀉兩次而亡」。

一般而言，中下階級的日常生活中，並無法吃到較新鮮的魚類，僅有少數富人才有機會享用，如當時即使在基隆港旁，

生活不富裕者僅能購買廉價的魚類如鮫魚等。

蔬菜類方面，第二市場販賣最好的白蘿蔔、茄子等，也是日式文化的典型食材之一，多製成醃蘿蔔、蘿蔔乾等，或者做成蘿蔔絲，其中，像是醃蘿蔔等醃菜其實是日本餐桌上不可或缺的配角，無論料理多麼的高級，總是需要擺上幾疊醃菜搭配，搭配白米飯，特別下飯。

接著，我們從 1930 年代第二市場鳥獸肉銷售量的增加，也說明此時人們飲食風氣的另一個轉變，即牛肉食用的增加。因為日治初期，《臺風雜記》觀察臺人是很少吃牛肉的，「臺人嗜獸肉，而不嗜牛肉。非不嗜也，是有說焉。蓋牛者，代人耕作田野，且孔廟釋典之禮以大牢，是以憚而不食也。獨怪未見人之遺棄老牛者。」漢人農業社會中，人們感念牛隻耕作的辛勞，不願再宰殺食其肉。

日治時期，已有食牛概念的宣導，如在一則〈談牛〉的報導中，稱：「人見西人之嗜牛肉，訝其忘牛之功，不知西人所宰者，非耕牛也，有專以之供食用者，謂之食牛，豢以美芻，終日閑閑，遊走牧場，俟其肥乃宰之。而西人之耕，用牛者亦

在明治時代開始食用肉類的日本人,也在第二市場陳設了肉類販售區。圖為現今第二市場的豬肉販,陳列當日現宰的生鮮豬肉。(陳文彥/攝)

鮮,故牛無功於西人,其宰牛也,如支那人之宰豚耳。而支那人不計有功無功,概執不殺主義,則概不敢食,是亦迂矣。余故曰,宰牛為是,而宰耕牛則非。」文中提到東西方文化中,牛隻地位的不同,西方有專門的食用牛供宰殺,和漢人的耕牛不同,認為不應當過於迂腐地一概不吃其它種類的牛肉。就如同漢人吃豬肉一樣。

此時市場中,牛肉的種類已分多種,以來自日本的「內地」牛肉口感較佳,例如,稱「本島夙以黃牛、水牛肉為食用者頗

日本的醬油十分受到臺
灣民眾歡迎，在各地紛
紛成立日式醬油釀造
所。圖為基隆醬油釀造
所。（國立臺灣大學圖
書館／提供）

多，然味稍劣，不得與內地並價，故每有酷嗜內地輸來之牛肉
者不少，如前所述。現時內地之昂騰，無有可輸出本島者，故
將圖謀改良本島牧牛畜之方」，也因此，日本牛肉價格較昂貴，
如市場上「內地牛肉（五十錢），黃牛肉（二十錢），水牛肉（十
錢）」等。

　臺灣人所接觸到的日本食物中，醬油也頗受好評，過去臺
灣醬油製法頗為簡單，日本醬油傳入後，很受歡迎，「曩日本
醬油之名，馳乎全島，臺灣料理家多用之。」明治41年（1908

年），《臺灣日日新報》記載新竹地區日本醬油暢銷的情形，「新竹製造醬油，雖有數處，然皆不如日本醬油之甘而美。經營此製造者，有內地人鈴木壽作氏，其供給亙及全廳下，如各處菜館酒樓飲食店，以及上流社會，概行使用。聞其本年賣出，豫料有五百石之多，現擬擴張業務，欲使銷售於鄰近各廳云。」

酒類是另一項接受度頗高的食物，「本島人之需要日本酒，日增一日。」需求日增情形下，幾乎每場宴席都需日本酒。「若宴會日筵中所陳，皆日本酒。聞日本酒之美，在於溫和，

受到日人文化影響，適合各種場合的日本酒漸漸抬升銷量。圖為清酒釀造室。（國立臺灣大學圖書館／提供）

無刺激性，而味又馨，稍飲過度，頭無疼痛之虞，於解憂為最適宜之物。」可見日本酒的優點在於不會引起頭疼的副作用。日本酒中，如清酒的味道溫和，接受度大增。「昨年以來清酒之在貨無多，價格頗騰，加以爾日之冷氣，麥酒及洋酒之需用漸少，而清酒已獨占其銷路云」。

　　從上述這些形形色色的食物當中，我們不難感受到臺灣人的日常生活一點一滴地改變中，飲食選擇也變得更為多元和多樣。

　　除了食用食物種類的改變外，臺灣人的烹調方式也逐漸受日式文化影響，例如過去臺灣人很少以生冷方式食用魚肉，《臺灣風俗誌》稱「臺灣人不分貧富大小，一般都不吃沒經過煮的生東西，因此每當他們看到日本人吃刺身（生魚片）、生豆腐、生醋（醋浸魚）、辣味、生海參等時，都會皺起眉頭嘲笑日本人是『生番仔』」，但日本的生魚片文化帶來全新的味蕾享受。昭和 12 年（1937 年），臺南醫師兼知名文人吳新榮寫下：「今日往診太多，為之疲勞太甚。晚上由佳里食堂呼一皿『刺身』來自樂」，可見吃生魚片已成為工作之餘的一種享受。

　　鋤燒（壽喜燒）則有別於傳統中國火鍋料理，屬日式火鍋，

也是一種新的烹飪方式，炸天婦羅則是將茄子、野菜等蔬菜，或是蝦子，以油炸方式處理，都是過去漢人從未想過料理食物的方法。日本飲食文化或許從此在臺灣扎根，影響至今，成為人們日常再熟悉不過的料理之一。

當時臺灣人士對日本烹調方式有不少記載，如吳新榮於昭和 15 年（1940 年）在日記寫到，為慶祝他的長子南星入小學校就讀，特地邀請友人家宴，稱「來賓比預期的還多，真是熱鬧滾滾。新造的壽喜燒用具還算大，還夠用。新改造的和式客廳正好坐滿，大家盡情暢快地用餐，兩隻雞，兩瓶『三得利』酒，全部解決掉了。」這邊提到新的壽喜燒鍋具，以及洋酒等，顯示他日常飲食呈現的多元化。

昭和 16 年（1941 年）除夕，則寫下：「今天是昭和十六年的最後一天。晚上，全家圍爐吃壽喜燒。父、母、夫婦、小弟等五人，子女五人，雇傭四人，全部十四人的大家庭。」在圍爐等重要節日，壽喜燒成為飲食首要的選擇，顯現經過長期殖民後，日本飲食文化的強勢影響。

| 臺灣胃不能沒有臺灣菜 |

日本治理臺灣後，雖然對臺灣帶來飲食文化上的改變，但臺灣當地傳統中華料理的美味，仍使日人相當讚賞。關於中華料理的好味道，大正 11 年（1922 年），《臺灣日日新報》報導日本宮內省的著名御廚秋山德藏 (23)（1888 年～ 1974 年）探求中華料理或「支那」料理的過程：

　　探支那料理之秘傳。宮內省大膳寮秋山司廚長，為研究支那料理法，將以進御，去六月赴上海，僑居上海一個月，就四間支那料理店研究，本月三日由上啟旌（啟程），經山東至北京，欲入該地大官富豪之家庭，自行研究，按後月歸朝。……據該司廚長語人曰：支那料理法，各有秘傳，不易示人，苦心之餘，乃得確知其秘。……余前遊歐洲各國歸來，見支那料理之烹調法，覺尤有進，不禁為之咋舌，其外觀雖不美，然其味為世界第一，故日本料理如花，支那料理如實，花只可觀，而實可食也云。

秋山德藏

日本東北福井縣人，日本料理界傳奇性人物，原姓高森，據稱青少年時個性叛逆，在接觸到西洋料理後，驚訝其美味，便立志往此發展。他生命中的貴人是拜師於西尾益吉（擅長法式料理），在西尾的調教和幫助下，他一度出洋考察歐洲各國料理的技藝，並實際掌廚於歐洲餐廳，歸國後，進入宮內省，成為御廚之一，同時也入贅，娶秋山俊子為妻。大正 8 年（1919 年），年僅 31 歲，便成為司廚長（總御廚），大正、昭和時代長期擔任御廚的領導者，也將法式料理帶入日本皇室的飲食中。秋山德藏的人生故事，2015 年被拍成日劇《天皇的御廚》。

秋山德藏是 20 世紀初日本知名的天皇御廚，連他都讚賞中華料理的味道，稱為「世界第一」，給予極高評價，與日本料理不相上下，甚至超越之，他為研究中華料理的奧妙之處，也特地到上海、北京等地實地考察一番。

　　清代臺灣移民多來自閩粵，故飲食文化也承繼著中國這些地方料理的特色。日人來臺後，為區別臺灣當地料理和日本的不同，逐漸以「臺灣料理」的名稱來統稱具臺灣或中華特色的料理。

　　據大正 10 年（1921 年）片岡巖編輯的《臺灣風俗誌》，一般來說，臺灣的宴席料理在許多方面有其固定的規矩和禮俗，部分仍為我們今日所熟悉，例如，全套宴席菜色的總數約 10、12、14 道等偶數料理；每桌客人也多是偶數；每桌料理分為上半席和下半席，當全數有 12 道菜時，上到第 6 道菜是「半宴」，14 道菜時，第 7 道菜是一半，是所謂的「半宴」，半宴的菜色通常是甜湯，而最後一道菜通常也是甜點或甜湯。

　　又例如《臺灣風俗誌》提到當時臺灣料理老湯的做法，頗類似今天的高湯，但又有些許差異，廚師會至菜市場購買一般

人不太重視的肉骨頭、豬頭、豬腳等食材，然後放在大鍋中，用小火慢煮，直到骨髓溶解後，就再買骨頭下去熬煮，每天不斷地煮，鍋裡的肉湯就逐漸變得很濃，而且會有一股特別的甜味，是一般家庭臨時熬煮辦不到的。

該書提到的餐飲習慣，在今日講求迅速、效率的工商社會，已較少見，如在宴席到一半的「半宴」時，主人要用熱水替客人洗湯匙，洗好後主客才能共同喝甜湯，喝完湯後，客人在附近休息，或抽鴉片，或抽香菸，等休息足夠後，用熱水洗臉，再回到宴席繼續用餐。

當時一般最負盛名的臺灣料理店是臺北的江山樓、蓬萊閣 (24) 等餐館，不僅菜色十分講究，需有魚翅、鮑魚等「上等」食材，才顯得請客主人的「誠意」和面子。關於臺灣料理的菜色，種類相當多樣，在日治時期的許多飲食書籍或博覽會中均有記載，《臺灣風俗誌》所記臺灣料理的菜名就有幾百種之多。另一個例子是勸業博覽會，明治政府自明治 10 年（1877 年）起舉辦相關展覽，促進各種交流，在明治 36 年（1903 年）於大阪舉辦的勸業博覽會裡，首次設置臺灣料理店的展示空間，菜

典型的臺灣料理店內部的客室陳設。（國立臺灣大學圖書館／提供）

單上的菜色主要包含雞料理、海鮮料理等，其中，魚翅料理即有雞絨魚翅、煮蟹魚翅、紅燒魚翅、桂花魚翅等品名。

明治40年（1907年），日本殖民臺灣已超過十年，該年《臺灣日日新報》上有一則專門介紹臺灣料理的報導，提到常見菜色有紅燒魚、塔魚餅、塔鴨餅、紅燒牛肉、櫻桃小雞、涼拌雞、八風菜等，有時《臺灣日日新報》也會介紹料理所用的食材，如塔魚餅所用者為魚、甘薯粉、豚脂（豬油）、餛飩粉、

生薑、白菜、胡麻。其中,八風菜的名稱特別,所用的食材包含豚肉(豬肉)、甘薯、筍、玉菜、蔥等。

　　大正12年(1923年),年僅22歲的日本裕仁皇太子(1901年～1989年)來臺,江山樓負責接待皇太子一行,視之為無上的光榮,特別以臺灣料理呈上,最終決定的內容有雪白官燕、金錢火雞、水旭鴿蛋、紅燒火翅、八寶焗蟳等料理,為正統臺灣宴席的規格。裕仁皇太子親自品嘗臺灣料理,也顯示對此的

日人舉辦的勸業博覽會中,曾設置臺灣料理店的展示空間,供日人認識臺灣料理特色。圖為臺北所舉辦的臺灣勸業共進會第二會場之正門。(國家圖書館/提供)

重視和認同。同年《臺灣日日新報》登出招待的菜色，並難得地解釋做法，其中，八寶焗蟳為「將大蟹的肉與洋蔥、荸薺、豬白肉以及麵包粉攪拌，煮到半熟，再將它放在大蟹的空殼中，沾上麥粉、蛋液，裹麵包粉油炸」。另外，魚翅料理的紅燒火翅，則是「以熱水清洗本島產龍文鯊魚背鰭的魚翅，調理前三天浸泡清水中，再用油煎，與雞肉、蔥、酒一起調理後，將處理好的雞肉等其他配料放在上面」。此後，秩父宮雍仁親王（1902 年～ 1953 年）、朝香宮鳩彥親王（1887 年～ 1981 年）、久邇宮邦彥王（1873 年～ 1929 年）來臺時，江山樓幾乎成為皇室指定接待的臺灣料理店，也使其聲名大噪，奠定其地位。

　　昭和 2 年（1927 年）12 月 10 日起至昭和 3 年（1928 年）1 月 23 日止，《臺灣日日新報》特別邀請江山樓主人吳江山撰寫有關臺灣料理的專題報導，共 23 話，依肉類、海鮮類、蔬菜類、甜點等，分門別類描述當時經典的菜色，首先，肉類方面，集中於前半部，第 5 話專門討論雞料理，包括八寶絨雞、糯米絨雞、生燒小雞、鹽烙小雞、蔥燒小雞、童子小雞等六種料理，之後的第 6 ～ 8 話同樣介紹雞隻料理，包含鮑魚雞片等，

總計雞隻料理即高達二十四種。其它還有鴨隻料理（第 9 ～ 10 話）如掛爐燒鴨、生炒鴨腸，鳩料理（第 11 ～ 12 話）等。

　　海鮮方面，他在第 2 話介紹雪白官燕和魚翅料理，提到臺灣魚翅最佳來源是中臺灣的龍文鯊魚。之後要到第 19 話起到最終話，才又介紹補充各種海鮮料理，包含魚、蝦、蟹、鰻魚、鱉、鮑魚、花枝、九孔料理，如生菜蝦仁、五香鰻、紅燒鮑等。

　　蔬菜料理集中於第 13 ～ 18 話，如金錢茄子、生炒豆尖。甜點部分，吳江山僅在第 2 話提及杏仁豆腐（夏日）、蓮子湯（冬日）的做法。我們從這些菜色或許可以略窺日治時期臺灣料理的表現，其中部分可能也是江山樓的日常菜單之一。

　　其它常見的臺灣料理還有大五柳居、炒水蛙、炒魚片、東坡方肉（東坡肉）等。其中，大五柳居也是鮮魚料理的一種，又稱五柳枝，所謂五柳是指烹調時的五種配料，如洋蔥、胡蘿蔔、香菇、鹹菜等，作為主角的魚類則多用海魚。

　　時到今日，人們常吃的臺灣菜中，仍可見部分日治時期臺灣料理的影子，例如東坡方肉、生菜蝦仁、杏仁豆腐、蓮子湯等。

　　上等、精緻的料理之外，今日街頭巷尾常見的日常小吃，

在日治時期同樣就見古早的做法，片岡嚴編輯的《臺灣風俗誌》，在〈臺灣人的食物〉中，列舉許多庶民小吃，如米篩目即是「米苔目」，提到當時的做法為「即用穿很多細粉孔的亞鉛板，壓出約四、五公分長的米粉條，煮熟後即可食用。泡甜湯做夏天的清涼食品。」另外，還有肉粽、豬血、豆花、米糕、粉圓仔（粉圓），其中，豬血的做法是「取豬的血盛在小桶內，放一點食鹽即凝結成塊，加入各種調味料煮熟食用，口味很好。」日治時代，在日本飲食文化「大舉入侵」的情況下，臺灣人雖然逐漸接受日式的飲食，包含食物種類、烹調方式、餐桌禮儀等，但從上述可知，臺灣民間仍舊保有許多具自身特色的傳統料理和小吃。

｜臺灣料理店的食材庫｜

第二市場周邊的餐廳史

據昭和 16 年（1941 年）《臺中商工案內》的統計，當時臺中共有 12 家臺灣料理店，新富町內即有 3 家，包含第二市

場旁的聚英樓、明花樓和世界樂，是臺中各町中臺灣料理店密度第二高者（最高者為榮町的 4 家），這些臺灣料理店所用的各種食材，或許就是從第二市場裡就近採買的。

上述臺灣料理店不僅是吃飯的場所，也是重要的社交場合，襯托出宴客主和賓客的階級和身分。例如，大正 14 年（1925 年）8 月 21 日，中國教育部特派員王悅之一行抵達臺灣後，到臺中時，當時中華會館臺中支部就選擇在聚英樓款待王氏一行。

在臺灣政治發展史上，聚英樓也別具意義。日治時期，昭和 2 年（1927 年）7 月 10 日，蔣渭水（1890 年～ 1931 年）和林獻堂、蔡培火（1889 年～ 1983 年）等人，就是在此成立臺灣歷史上第一個政黨──臺灣民眾黨。

除了料理的精緻講究，當時臺灣料理店通常還有藝旦陪唱、跳舞、唱歌等文化。林仲衡在詩作中描述聚英樓的歌舞文化，「聚英樓畔墮鞭多，奈此張嬌李豔何。一種冶遊心各異，他人跳舞我狂歌。……白晝公然不怕人，迴身宛轉向郎抱。」由於出入、活動較為複雜，從這些情事可見聚英樓等臺灣料理

> **臺灣民眾黨**
>
> 1920 年代，臺灣文化協會因海外留學生的左傾和右傾的意識形態，內部產生分歧，蔣渭水的理念偏向三民主義（右派），居少數，他和蔡培火等人遂脫離臺灣文化協會，另立臺灣民眾黨。

店，並非「單純」的飲食場所，而是夾雜著許多政治、社會活動於其中。

　　我們從日治時期第二市場所販售的食物和食材，的確可看出從清領到日治期間，臺灣飲食文化和背後思想觀念的若干轉變，魚類已成為人們日常食用肉類的重要來源之一、鳥獸肉也是同樣的情形，偏向日式文化的蔬菜，消費量也增加不少，這些與過去清領時期，都有著不小的轉變。如果再仔細區分魚肉和獸肉的種類，更可發現一些特徵，如深海魚的消費多於淡水魚，且多自日本進口，牛肉的消費數量不少等，而食牛的風氣，無疑是此時人們思想觀念的一大轉變，牛隻已被區分多種用途，不再一味地禁止食用。

【右頁圖】一甲子以上的積累，使第二市場成為享受味蕾的美食天堂。（陳文彥／攝）

143

國、臺語都嘛通的菜市場

1949 年後的第二市場

隨著 1945 年日人離臺，第二市場的日治色彩逐漸淡去，取而代之的是臺灣光復後的華人民族思維與運作特性。此時期的第二市場無論在衛生環境、建築與空間配置、飲食文化等各方面，皆與日治時期大相逕庭。當經濟和局勢逐漸穩定後，第二市場的定位也面臨全新的挑戰。

| 日語沉寂，國語鬧熱 |

臺灣光復後，國民政府治理了臺灣，之前在日本統治的五十年間，同時期的中國，經歷晚清的巨變，同樣進行大規模的西化運動，民國初年的五四運動，以民主、科學為口號，人們的生活變化極大，服裝、語言、教育、衛生標準等，也均向歐美看齊，再融合部分的中華傳統文化。因此，來到臺灣的國民政府，它在某些方面如環境衛生的講求，與之前的日治時期並無太大的落差。然而，華人的民族思維、審美價值等，和日本頗不相同，故第二市場的許多面向，似乎又回到以往華人社會的運作方式和習慣。

首先，國民政府的政策對於第二市場的發展影響頗大，例如，此時的市場，不再局限於日治時期的幾處，而是採取開放政策，因此，傳統露天攤販等，又重新出現。然而，雖然市集變多了，第二市場因為它在日治時期重要的消費和批發功能，在臺中各市場當中仍相當具有知名度。

光復後，第二市場在很長的一段時間內，仍然是臺中重要的水果批發市場之一，同時也依然是魚類批發市場。當時孫

【右頁圖】時代更替，鈴蘭通變成中山路，來往的行人也不再以日語對談。不變的則是鈴蘭形狀的路燈依舊矗立原處。（林權助／攝，林全秀／提供）

147

148

立人將軍在臺中的官邸 (25)，就位於第二市場不遠處（今日向上路一段），他的夫人說，他們在官邸種的各種花卉和水果，如黑葡萄、蘭花、玫瑰花和聖誕紅等，成熟花開時，還會就近拿到第二市場販售。據稱，每天清晨，三民路和中山路聚集的水果攤，高達百餘攤，氣勢驚人，人潮如沙丁魚般地湧入。現今第二市場接近中山路的一側，仍聚集許多水果商行。

衛生方面，國民政府來臺後，雖然重視衛生工作的進行和宣導，然而，因戰亂關係，財政匱乏，藥品短缺，成效似乎相當有限，據統計，瘧疾、鼠疫等傳染病，一度又猖獗起來，其中因瘧疾死亡者，每十萬人中甚至高達六千餘人。在外國專家的協助下，疫情很快受到控制。例如，鼠疫方面，1956 年時，一年之中，臺中市中區撲殺的老鼠高達十萬隻。

雖然傳染病受到控制，但許多環境衛生的工作，均有待改善和加強。1960 年代，全臺各地市場衛生情況十分糟糕，當時的臺灣省環境衛生督導團在提到臺北各市場時，稱垃圾堆積發臭、廁所衛生不佳，這樣的報導，在 1960 ～ 1970 年代的報紙，時常可見。臺中方面，據 1969 年《聯合報》報導，臺中第一和

【左頁圖】即使改朝換代，第二市場仍是中部最大的水果批發集散區，為民眾提供新鮮生果。（林權助／攝，林全秀／提供）

戰後人口暴增，不論何處都顯得過於擁擠，致使第二市場再度面臨維護衛生的難題。（林權助／攝，林全秀／提供）

【右頁圖】舊時民家會飼養活雞，作為蛋、肉來源。圖為農家在市場販售幼雞的情形。（林權助／攝，林全秀／提供）

第二市場由於位在市中心，每天買菜購物人潮擁擠，但汙水遍地、垃圾成堆，有時連水肥也流到市場裡，臭不堪聞，許多買菜的主婦都搖頭嘆息，市民希望主管單位能改善廁所的形式為自動式化糞池，勸導市場內攤販維持清潔衛生。有點諷刺的是，此時市場衛生的情形和日治時代的中後期似乎有著不小的差距。

　　飲食文化方面，臺灣光復後不久，國共內戰接踵而來，

市街之味 │ 臺中第二市場的百年風味

大陸各省份的大批移民隨著國民政府來臺，改變了臺灣的人口結構，也改變臺灣的飲食文化，來自大陸各省份的料理，開始出現於大街小巷中。戰後初期，受長期戰亂影響，臺灣民生物資極度匱乏，只有逢年過節，才能吃到雞鴨魚肉，可以想見，第二市場販售的食材應該也以蔬果為主。

臺灣光復後到國共內戰期間，許多大陸人士遷移來臺，現今第二市場有些攤商就是當時跟隨國民政府來臺後，在第二市場落地生根者，許多店家一開就是五、六十年，許多人從少女、少男做到阿婆和阿伯，交給下一代，甚至傳承至孫子輩經營。此外，第二市場周邊還

日治時代結束，但青果合作社仍持續著香蕉交易的工作，一如曩昔。（林權助／攝，林全秀／提供）

有許多店家，都依賴市場帶來的人潮維生。

　　建築和內部空間方面，由於建築思維和空間利用方式的不同，第二市場原先引以為傲的「Y」字形宏大建築體，逐漸遭隱沒。當時市府為了增加室內空間，一度有計畫地整建第二市場。據報導，此時期，市場租戶們「又增建二樓平頂的木屋，及市場內的攤位」，主要的工作是沿著中山路和三民路增建二樓的鋼筋水泥建築，認為如此「對市容商業均有裨益」，且騎樓設計雨天時便於行人的通行。但很明顯的，如此一來，從周遭馬路已無法看見日治時期所建號稱美觀的市場了。

　　在內部商家的空間配置方面，日治時期，第二市場的三個支翼依照禽肉商、蔬菜商和鮮魚商的分配秩序遭到打破，取而代之的是各類商鋪交雜錯落。但其中仍具一些秩序存在，如飲食店、蔬果店等，仍位出入口附近，商鋪在市場的位置與它們的生意可說是大有關係。

　　第二市場位於熱鬧的中區，往往也是是非之地，上演著人生的悲喜劇。社會新聞中，不少鬥毆情事也都發生在第二市場內，或是攤商自己的家庭糾紛，或是到此吃麵的客人，因細故

演變的傷人案件。另外，光復後的第二市場，建築外觀不再如日治時代一般，由於採光不佳，市場內實際上有許多隱蔽幽暗的角落，每到夜晚時，每每成為治安死角，此時第二市場周邊的治安環境似乎日漸走下坡，甚至成為槍枝走私的場所之一。

此外，大多數人所不知的，約 1945 年時，一座華人廟宇武德宮開始在市場內建立起來，供奉關聖帝君。就在這些個別的差異中，第二市場的「外觀」和「內在」，都逐漸變得和日治時期不同了。

| 一把令人痛心的大火 |

1970 年 2 月 11 日的凌晨，一場無情的大火，讓第二市場內三十餘個攤位遭毀，大火一直延燒到凌晨，燒毀第二市場的大部分建築，僅剩下六角樓的磚造建築和其中一翼的部分建築，殊為可惜。當時如此報導火災情形：

臺中市人口密集的第二市場，昨日凌晨發生大火，廿二家商號和卅八個攤位被燒燬，初步估計財物損失約新台幣一千萬

元，並有四人死亡。大火起於凌晨四時十分，據調查，首先起火的是市場內一之三號的瑞成布莊，迅即蔓延四周。經消防人員全力搶救，並有美軍泡沫車之支援，燃燒至六時廿分始被撲滅。

在這次大火中受災的店鋪有：第二市場一之一號盧天賜水果店、一之二號建成五金行、一之三號瑞成布莊、一之四號中本布莊、一之五號和成理髮店、一之六號雅平飲食店、一之七號小食店、一之八號興順服裝社、一之九號新達香糖果店、三之四號陳月珠水果店、三民路二段七十一號楊汝洲雜貨店、中山路二二四號勝發糖果行、二二二號東豐文具行、二二〇號明全珍糖果行、一八六號慶周水果店、三民路二段七十一號及七十三號陳阿慶水果店、七十五號厚生西藥房、七十七號長山百貨行、七十九號永信女裝社、八十一號新之昌百貨行、八十三號德昌百貨行、八十五號元榮百貨行等。

報導中提到的慶周水果店，迄今仍有營業。這次火災後，市府一度有意藉此整頓市場衛生和攤販管理的問題。

巧合的是，數年後，原是第二市場姊妹市場的第一市場，在 1978 年，同樣遭受祝融之災，走入歷史。然而，上天的考驗似乎仍未結束，1979 年 5 月 29 日凌晨，第二市場又發生大火，燒毀二十餘間店鋪，雖然當天下著梅雨，但因現場多木造房屋，火勢一發不可收拾。經過這兩次的祝融之災，現今我們主要只能憑著老照片和文獻資料，去追惜第二市場過去點點滴滴的記憶。

　　光復以來，不僅第二市場本身的建築發生改變，就連第二市場周邊街市也逐漸變得不同，如緊鄰第二市場的興中街，群聚許多糖果玩具行或雜貨行，其中，早期有些店家還經營地下爆竹生意，此處曾發生震驚社會的興中街爆炸案，造成嚴重傷亡。

　　我們從 1970 年代第二市場幾次大火燒毀的店家，隱約也可看出市場內攤商型態的轉型，市場店家以飲食類、水果類、服飾類和雜貨類等四種類型為主，這樣的分布型態一直延續到今日。

| 不需要傳統市場了嗎？ |

同一時期，1970、1980 年代，隨著國際和兩岸局勢逐漸穩定，臺灣經濟也慢慢復甦和成長，民眾消費能力和意願逐漸加強，第二市場的產品交易量也漸次成長。隨著時代的演進，此時第二市場的交易型態也面臨各種問題。

在買賣交易方面，1970 年代初期，臺灣各地的果菜市場、魚市場，場外交易的風氣日益盛行，以規避市場的手續費，這個問題從光復後就一直存在，如 1962 年時，臺北市毛豬市場的場外交易，據估計一年漏稅的金額就達 1,200 萬元，省農會盼政府徹底整頓。雖然經過多次檢討、取締，但效果並不佳，政府設立批發市場的原意主要是供農產品有一調節供需和平準價格的功能，但此時批發商之間，競買的效果並不佳，無法有效調節物價。場外交易盛行的後果之一是造成商品零售價格偏高，容易遭承銷人哄抬。尤其，《農產品市場交易法》實施後，容許農民自由買賣，加上「市場得分向供應人及承銷人收取管理費」等規定，導致場外交易十分猖獗，對比之下，果菜批發及魚市場的成交卻十分稀少，失去原先立法的美意。

1983 年，當時新的市場管理辦法，凡有果菜市場的地方，其第一次的批發交易必須在當地批發市場內完成，農民自身的生產品只限於零售品。然而，場外交易的現象仍舊無法有效遏止，屏東魚市場甚至因場外交易猖獗，無法支付職員薪水，乾脆留職停薪。此時傳統市場生意越來越差，現代化的市場則漸受歡迎，是傳統市場轉型面臨的極大挑戰和困境。

　　市場交易相關配套措施也相應改進當中，例如當時西方先進國家，針對農產品包裝的問題，無論是大型或小型，均已採紙箱或紙器，然而，臺灣只有水果才採取紙箱包裝，其它蔬菜等卻仍然是採用竹簍裝箱，且每件都超過 100 斤，十分容易導致擦傷和壓傷，增加蔬菜損傷的比率，據調查，1960 年代初期，從中部運往臺北的蔬菜的損傷率在 25% 至 35% 之間，比率頗高。此外，當時 100 斤以上的貨品，已普遍超過零售商承購的最小單位，因此，運銷途中，必須再次分貨，也增加手續費，徒增成本，之後，蔬菜等產品也漸漸改採紙箱包裝。

　　在不同的世代裡，臺中市民對於第二市場有著個別的回憶。前任臺中縣長廖了以也回憶他的學生時代與第二市場的關

家庭主婦提著竹籃，在
陳列繽紛多樣的攤位前
挑選著今晚的餐桌菜
色。（林權助／攝，林
全秀／提供）

係，他在大學時代就已結婚，為了自行負擔生活費，創業開了一家冰果室，每天一大早，他都會去第二市場挑選、購買批發的新鮮水果，這邊當時是中部最大的水果集散地之一，一盤四果冰賣 3 元，每天約有 3,000 元的收入。

回顧昭和 12 年（1937 年）到昭和 20 年（1945 年）的中日八年戰爭，深刻影響此後東亞的情勢，1945 年 12 月，臺灣光復，代表日治時期的結束，日本文化的影響雖然仍在，但色彩已逐漸淡去，中華文化重新成為臺灣的主流。在此劃時代轉變下，臺灣政治、經濟、社會各方面也重新進行調整。

從國共內戰後到現今，臺灣的歷史又經過將近七十個年頭，臺灣從戒嚴的威權年代走向民主體制，從農業社會

【右頁圖】第二市場中的燒肉粽販。（林權助／攝，林全秀／提供）

轉為工商社會和服務業社會，人民的生活也從早期戰後物資的極度缺乏到現在的豐衣足食。之後隨著臺灣不同階段的發展，第二市場在商業、飲食、建築、衛生等方面的功能和角色也悄悄地逐步改變。

至於臺中城市的發展，也從早期的以中區為主，拓展至西屯、南屯、北屯等地，戰後這些社會和城市的變遷，無形之中，也影響第二市場的發展，如同日治時期一樣，第二市場亦是一面鏡子，我們從中可看到臺灣現代歷史不同階段的經濟、社會民生的各種樣貌。

第二市場內的武德宮以繚繞不絕的香火，不但見證了第二市場的一路變遷，更護祐著第二市場與穿梭其間的人們。（上圖：陳弘逸／攝，左圖：陳文彥／攝）

在城市中奮勇逆流的草根市場

工商業社會下的第二市場

從農業社會轉型為工商業社會，臺灣產業結構的蛻變連帶改變了第二市場的面貌。都會化的發展促使新潮的大型百貨林立，新城區的開發與繁榮也引進新型態的購物模式，便利超商與量販店的經營方式在在衝擊著傳統市場的存續。面對多元社會的需求，汰舊換新的市場改建議題也順勢浮上檯面。

第二市場旁被居民慣稱「馬舍公廟」的輔順將軍廟，於節慶時分演出的布袋戲，除了酬神，更娛樂了經過的民眾。（林權助／攝，林全秀／提供）

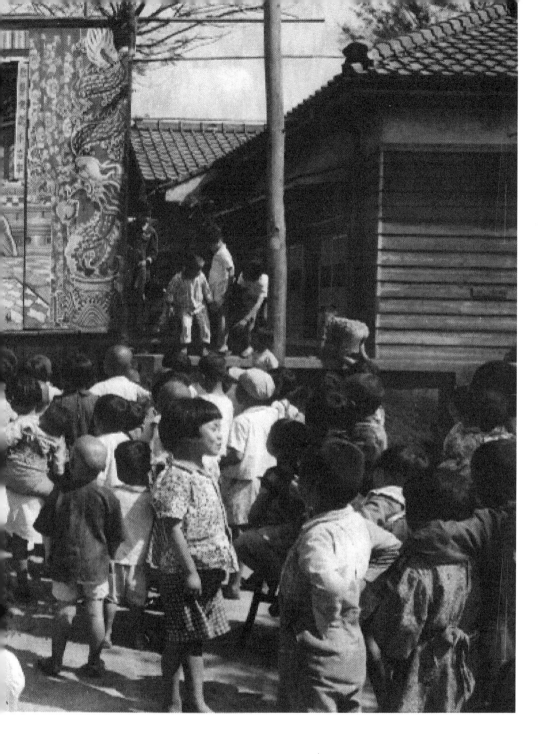

| 臺中火車站前的百貨大進擊 |

1960～1980年代，臺灣社會的產業結構發生很大的變化，農業人口大減，1960年代，全臺人口中，專職的農夫仍超過總人數半數以上，但在短短的二十年間，從事農業的勞動者僅剩10%不到。職業的轉型相應帶來生活方式、價值觀的轉變，要求方便、效率的生活型態逐漸取代傳統社會「日出而作，日入而息」的作息。

就在臺灣逐漸從農業社會轉型為工商業社會的同時，臺中市區的都會風格更為明顯，其中，臺中火車站前，藉由相對便利許多的交通運輸位置和網絡，每天吸引大量人潮，多家業者看中商機，投入大量資金，在站前逐漸形成熱鬧的百貨商圈。

1969年，遠東百貨 (26) 在臺中的第一家分店正式成立，之後，1970年代，華華百貨、大大百貨開業，1980年代，永琦百貨（日系）、龍心百貨等，陸續進駐自由路、中正路一帶。百貨業者不時爭相用各種服裝發表會、汽車展覽、美食活動，吸引消費者上門，帶動臺中流行時尚的風潮。例如，早期象徵身分地位的派克（Parker）鋼筆 ，一枝要價不菲，僅有在百貨

派克鋼筆

該公司創立於明治21年（1888年），創始人為喬治‧派克（George Parker），以筆類產品的創新聞名，為世界上年代最悠久的製筆公司之一，常為各國政商名流用筆的首選。據稱，20世紀許多條約簽訂時，如二戰日本投降的合約，即是用派克鋼筆簽訂。在早期年代，每每成為致贈禮物的首選之一，1960年，首屆中國小姐的選拔，第一名的禮物之一就是派克鋼筆。

公司的專櫃才有販售。

此外，一些戲院如豐中戲院，均坐落於火車站前，每到假日，總吸引大量人潮來此消費，十分熱鬧。如早期臺中市民如要觀看電影，豐中戲院是最佳的選擇之一。在四、五、六年級生回憶裡，中區許多百貨、商場仍是假日最熱門的娛樂去處之一。

在這股風潮下，距火車站不遠的第二市場，周邊亦有日日新大戲院、全球影城、萬代福戲院、百貨公司等娛樂消費據點，鎖定學生族群和中產階級，生活機能相當良好，臺中的中區可說仍然延續日治時期的榮景。

中區老街廓靜寂無聲了⋯⋯

臺中作為大型都會區，城市地景和重心的轉變十分快速，1980 年代之後，臺中中區的發展，逐漸產生瓶頸。上文提到臺灣社會的轉型（工商業的發展）雖然一度造就臺中中區的繁盛，但約在同一時期，在幾股重要因素的影響下，中區和第二市場的榮景卻很快消逝。就時代背景而言，1980 年代是現代臺灣轉型的關鍵時期，1987 年對臺灣現代政治史、社會史的發展有其

重要意義，該年 7 月 15 日起，政府宣布解除長達 38 年的《戒嚴令》，隔年，解除了報禁，平面媒體日漸發達，社會漸趨多元發展。在此背景下，各種消息的傳布更為多元和公開，因此，和之前相比，每當第二市場成為輿論焦點時，相關媒體的報導也增添許多。

先是，1980 年代以來，臺中城市的發展甚為快速，人口大量移入，促使新市區的擴張，原先人煙稀少的西屯、南屯、北屯等區，外來人口逐漸聚集，這些區域因土地徵收、重整相對舊城區 (27) 來得容易，臺中市許多重要建設，紛紛落腳在其中，與舊城區相抗衡。

其次，此時新型態的購物模式和環境的出現，衝擊傳統市場的經營，其中，便利超商（如 7-11、全家）、量販店的經營模式，在幾經調整之下，日益符合工商社會上班族和職業婦女的消費習慣和需求，加上其環境「明亮、整潔」，重視品牌的廣告和銷售方式，相比之下，傳統市場顯得失色許多，競爭力不足。令人感嘆的是，日治初期，臺灣的公有市場原是以整潔、衛生作為號召和特點，象徵時代的進展，但在商業環境的快速

【左頁圖】1950 年代通向第二市場的中正路（今臺灣大道），為臺中最繁榮的交通要道，可見擁擠的人潮與公車、計程車來回穿梭；遠方中式尖塔建築為第二市場旁的「合作互助會」，提供市場攤商即時周轉現金的服務。（林權助／攝，林全秀／提供）

轉變和競爭下，卻逐漸被冠上老舊、髒亂、不衛生的符號。

1987 年，法國大型量販店家樂福來臺，報紙的標題為「法國『家樂福』來勢洶洶，北縣百貨業者面臨衝擊」。四年後，則是「除了『萬客隆』，『家樂福』也要顯身手，……中部零售批發業大戰一觸即發」。之後，1997 年起，大潤發等本土業者也積極拓展據點，百貨業進入「戰國時代」。這些食品業、通路業多元的發展，都嚴重瓜分傳統市場的消費群。

中區原是臺中城市的核心地區，區內商業機能首屈一指。但在都市規劃不易、其它地區發展快速的情形下，商業消費機能逐漸黯淡，如 1992 年開設的中友百貨，是臺中市第九家百貨公司，開設之初，相當被看好其潛力，將帶給百貨業界莫大衝擊。開店不久，業績就十分亮眼，透過新穎的行銷方式，轟動一時，並帶動了臺中北區的發展。另一方面，則是對龍心等老牌百貨公司造成強大的壓力。

對中區多家百貨公司來說，屋漏偏逢連夜雨的是，此時它們接連發生多次的火災，1984 年，大大百貨發生大火，共造成死傷四十餘人，估計損失達 2 億以上；1990 年，遠東百貨大樓

的大火，悶燒十餘小時，財物損失估計近 10 億元，這些似乎都預告著中區商業的沒落，人們也開始關注公共場所消防安全的議題。就在臺中新區域的發展和百貨業激烈競爭的情形下，中區和第二市場慢慢地不再成為人們目光的焦點。

等到 2000 年，新光三越百貨在七期重劃區開設後，臺中城市重心移轉的速度更為快速。就在這短短的十餘年間，臺中中區可說是光環不再。現今經過火車站前中山路，沿路仍可見許多高齡未整修的老舊房屋。

| 何時重回新富榮景 | 1990 年代的改建爭議

隨著臺中城市人口的增加，城市逐漸向外擴張，原本是市中心的中區，漸漸地從核心區變為舊城區或老城區。而且，此時第二市場因緊鄰中華路夜市、一中商圈，以及多家戲院，每到上、下班或假日，交通問題頗為嚴重。

市府針對中區商業的逐漸不振和交通壅塞等問題，1990～2000 年代之間，原寄望透過第二市場的改建和轉型，達到振興中區和紓解交通的目的。日治時期，與第二市場號稱

1953 年的第二市場正門，即今三民路與臺灣大道路口。（林權助／攝，林全秀／提供）

市街之味 │ 臺中第二市場的百年風味

姊妹市場的第一市場，早先一步進行轉型，在 1991 年成為第一廣場大樓 (28)，從傳統市場，變身為百貨大樓，大樓內各種商家林立，初期有影城、書局、地下街等，開張不久「就已生意鼎盛，繁榮的情形較未改建前有過之而無不及」。之後因大樓內各種商業活動交雜，頗為雜亂，違規營業情形相當嚴重，不少逃生避難通道被占用，市府雖下達拆除令，有時還遭到業者強力抗拒，場面火爆。

然而，相較於第一市場的順利改建，第二市場的改建卻是一波三折。最早自 1990 年開始，臺中市府鑑於第二市場建築物的老舊，決定採獎勵民間投資的方式改建，隔年，委託建築師進行規劃設計。期間，一度規劃將第二市場改為地上十餘層的大樓，地下室規劃為停車場，如果成真，將完全改變第二市場的外觀和內容，市府希望藉此提振和帶動中區的發展，當地居民因為此事涉及地區的環境衛生和發展的前途，均表示關切。

然而，因為第二市場土地中有部分為私人土地，且市府與承租戶針對攤位、店鋪如何分配、商鋪位置如何安排等問題，如改建後哪家店鋪位置能靠近出入口，這其實攸關生意好壞和

利潤多寡，每個店家對此都十分嚴肅和重視。針對這些問題，多次協調都不成功，導致改建的工作並不順利，有長達五～六年的時間都處於爭議的局面。1995 年，市府再度推出方案，「預計興建地上十五層地下四層」的大樓，市府同意投資者可使用五十年之久，屆滿後歸還市府。這樣的條件看似優渥，然而，市場改建案始終「雷聲大，雨點小」，之後，市府一度想改建為「客家圓樓」的造型，象徵在地文化，但市場內攤商及住戶卻興趣缺缺。從 1990 年代初以來，第二市場的改建案，經歷了十餘年的協調，居然都無下文。

等到 2002 年，關於擾攘多年的市場改建案，市府和第二市場攤商之間，希望就改建與否能夠達成最後的共識，臺中市第二市場自治會決定舉行「公投」，參與投票的 286 戶中，只有 77 戶支持市府提出的改建議案，未達市府設定六成的「門檻」，自治會呼籲市府尊重民意，不要再推動市場的改建。市府最終也決定以修繕取代改建，經過十餘年的爭議，終告一段落。

2003 年，市府修建下，第二市場的採光、排水、照明獲得進一步的改善，也凸顯老建物的景觀。不久後，在拆除中庭

廣場的鐵皮後，有八十年歷史的「六角樓」及
「三條通」（應為六條通）的紅磚通道，竟
然又「重見天日」，別具文化意義。這次長達
十餘年的改建爭議，其最初的目的和最後的結
局，是頗為曲折和出人意表的。

　　上述兩章討論自光復以來到 1990 年代第
二市場的各種轉變，在這近四十年的時光中，
它經歷祝融之災、臺灣經濟的變遷和市場的
改建，在時代一次又一次的考驗下，它的外觀
和周邊街市都已改變。如和日治時期的照片相
比，不免有「物換星移」之感，在一篇報導中，
一些老攤商回憶當年人山人海的盛況，只能慨
嘆「時不我予」。雖然如此，即使經過許多風
波，但市場的部分建築和設計的原樣，仍能保
存下來。

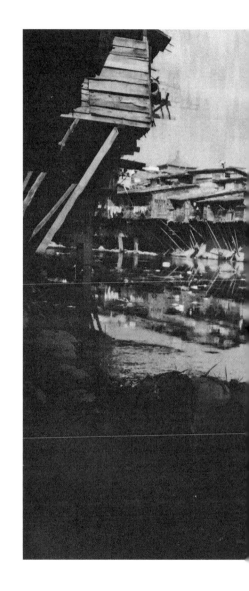

沿著柳川而建的吊腳樓建築，成為發展中的臺中城市的奇特
一景。居民當時仍會在乾淨的柳川浣洗衣物。（林權助／攝，
林全秀／提供）

菜市場的現代庶民學

第七章

第二市場現況

走過日治的衛生觀念、建築規劃、飲食交流,經歷光復後的社會轉變、經濟發展、城市繁榮,第二市場始終挺立於時代的巨輪。不畏現代化的消費模式,第二市場至今依然保有其傳統獨特的營業步調與人情味,透過重新活化,第二市場將再現榮景。

　　如同全臺各地，乃至全球各地一樣，市場和城市、市民的關係總是十分密切的，幾乎是每個城市日常運轉不可缺少的部分，我們或許可以從外國的例子中，觀察市場與城市的關係，位於日本東京的築地市場，世界聞名，應該是一個相當好的範例。

　　築地市場 (29) 所代表東京魚市的歷史可從江戶時代的日本橋追溯起，它的名氣除了自身的地理條件外，也與東京城市的歷史和日本近代史緊密相連。濱海的東京是近代日本的首善之都，它的崛起，取代了位處內陸的京都。東京在之前的歷史上，和上海、香港等城市一樣，僅是一處沒沒無聞的地方。但在日本歷史（江戶幕府）和全球海權時代來臨等因素的合力之下，躍居為日本首都。

　　水路縱橫的東京，富含河海資源，從江戶時代起，直到明治時代以前，東京的魚市（魚河岸）都集中在今日日本橋一帶，現今該地區仍可見許多蜿蜒複雜的小徑和小河渠。明治維新之後，東京魚市也面臨近代化的轉型過程，對於衛生的要求日益講究，店鋪的位置也重視秩序感。加上大正 7 年（1918 年）

【左頁圖】第二市場雖已百年，卻不見衰老態勢，至今仍以滿堆的生鮮蔬果為民眾服務。（陳文彥／攝）

的米騷動事件，促成日本政府重視市場應發揮的調節物價的功能，因此，建立現代化的批發市場成為目標之一，這些都使得日本橋的魚市場經歷一場蛻變。

大正 12 年（1923 年）的關東大地震，火災燒毀了日本橋周遭的魚市，官方決定將魚市臨時轉至築地，這項決定開啟築地市場近百年的歷史，和第二市場落成時，相隔差不了幾年。昭和 10 年（1935 年），築地市場正式落成，規模龐大，在當時是東京都內十分顯著的建築，以鋼鐵、玻璃、混凝土等建材建造的市場，富有設計感，是震後東京的地標性建築。

之後，隨著日本在世界漁業和經濟的突出表現，築地也從一開始地震後的倉促搬遷和批評聲浪中，逐漸穩定和發展，轉變為全球規模數一數二的魚市場，光是每天使用的冰塊，估計就高達一百多噸，它見證 20 世紀下半葉東京城市發展的軌跡，有著「東京廚房」的美譽。它也見證了日本從戰後一片荒廢中重新建設，經濟高度發展的時期。

在長久魚市歷史和文化的積累下，築地市場已成為日本現代漁業最重要的代表之一，鮪魚交易是它最知名的招牌，不僅

國內消費，一度成為賺取美國外匯的明星商品之一。它不只是魚市，也是日本文化的象徵。

如同其它市場一樣，在築地，不同的人們可以找到和發現到此市場的價值和意義，在這邊也同樣上演人生百態，酸甜苦辣都有。每天數以萬計的觀光客可以在此找到樂趣，例如，觀看高價的鮪魚競標，買家雇請的行家憑著多年的經驗，只需看魚體身上幾處細節，便知道各類鮪魚的油脂差異，拍賣過程中，看熱鬧的遊客們，可以發現拍賣員和買家之間相傳已久的特殊手勢和高亢的音調，那應該說是一種特殊的默契，簡化許多買賣的流程，每次高達數百萬的高級鮪魚交易，竟然僅在數秒之內就已完成。

觀光客也可以在此找到美食，每日的漁獲，成為築地市場外市場料理店、壽司店、餐廳等食材最新鮮、直接、便捷的來源，許多人心甘情願排上幾個小時，就是為了一嘗某一店家的招牌料理，稱之為「美食聖地」並不為過。

築地市場吸引的龐大人潮，使它除了批發市場、美食之外，還有許多專門的日常用店，販售各種物品，如服飾店、咖啡店、

刀具店等，各具特色，與築地市場形成一種「互利共生」的關係。

　　上述這些都說明築地市場的多功能性，不僅是專業的漁獲批發市場，也是美食重心和日常用品集中地，這方面幾乎和第二市場如出一轍，某種程度上來說，它已經成為一個「觀光」景點，成為來到東京的外國遊客必訪的地點之一。

　　不同於觀光客，對中盤商、小盤商和魚販這些職人和匠人而言，築地市場幾乎就是他們每天的生活，再熟悉不過。這邊一方面是他們生存和生計的戰場，為了以較低的價格搶到優質的貨物，或是提高銷售的利潤，他們必須要眼明手快，有時甚至不惜爾虞我詐。

　　但另一方面，他們在此也可以找到信任和成就感，長期合作的盤商和攤商之間，他們之間不僅僅是商業交易而已，而是一種合作的夥伴感受，他們也從世界各地的漁獲中，培養出寬廣的視野。此外，不管是攤商、餐廳營業者、拍賣員或是買家，如要進入築地市場工作，一般就已需要多年的經驗，參與鮪魚競標的業者，大部分都是行家，如要進一步闖出名號，更是不容易的事，許多人都是用「一生懸命」(30) 的認真態度，一輩子

經營一家店，或一生從事某類漁獲的批發工作，他們在築地度過人生最精華的時期，他們對築地的情感，非一般過客所能體會，這也是為何他們可以在此找到成就感和歸屬感的原因，築地象徵的是品質和眼光。對於觀光客來說，從這些職人或匠人的身上，或許也可以感受到日本文化的精神所在。

築地市場從初遷到此的青黃不接，到戰後隨著日本經濟的復甦而聲名大噪，但歷經歲月的洗禮，市場的建築、管線和設備畢竟漸漸地老舊了，近期東京都政府打算將築地魚市場搬遷至豐洲，原因之一是後者這邊擁有符合更高食品衛生標準的環境，顯見時代巨輪的進展。

對於東京人來說，築地市場的存在是獨一無二的，毫無疑問，也是他們值得驕傲的記憶之一。對於臺中人而言，第二市場同樣也是獨一無二和值得驕傲的。

| 第二市場的一天與每天 |

每天凌晨三、四點，甚至更早，當臺中市還在沉睡之際，第二市場內的攤商已經開始忙碌地準備早市所需的一切，對他

們來說，這已是一天的開始，貨車和人員進進出出，人們揮汗如雨地工作，對照周邊街市的漆黑，這邊已彷若白晝。

等到清晨約六點，早市開始，家庭主婦、市場周邊住戶陸續來到第二市場採買，這也是第二市場一天和每天最熱鬧的時段，市場內原本不大的巷道更顯擁擠，攤商的吆喝聲此起彼落，各項貨品「爭奇鬥艷」似的，爭取路過消費者的目光，不像超級市場或大賣場那樣將貨物擺放得整整齊齊，而是予人一種亂中有序的感受，這時也是最能感受到傳統市場活力的時刻，和逛生鮮超市「制式化」的流程相比，對不少人來說，傳統市場有其獨特的魅力。不少人們購物的同時，也聯繫和攤商彼此多年的情誼和記憶。每天市場各角落上演著再平常不過的場景，呈現最真實的庶民文化和臺灣文化。

中午時分，早市告一段落，部分販賣食材的店家和攤商得以稍微歇息，飲食業者則迎來另一波人潮。傍晚時分，午前的喧鬧聲逐漸平息，第二市場寧靜許多，也是攤商們每日難得的休息時間。因為不久後，另一天又要開始。

週末、連續假日或歲末年終期間，第二市場又是另一番景

象，更顯得熱絡，一般市民之外，更有許多外地觀光客紛紛來此探求美食。市場內的店家由於用料實在、做法道地，加上價格親民，只需銅板價，就能享有美味，幾乎每家在網路媒體上都小有名氣，無論是滷肉飯、菜頭粿、肉包、肉圓、餛飩湯、魚丸店、福州意麵、麻芛湯 (31) 等，甚至喝的冷飲、冰品等，種類繁多，冷熱皆有。

例如，第二市場內的福州意麵，開店已八十年，從日治時代便在此經營，最早時只能肩挑擔子、板凳到第二市場擺攤，之後才有店面。其它如老王菜頭粿、老賴紅茶冰、聰明擔仔麵、阿嬤ㄟ相思麵店、顏家肉包餛飩湯、山河魯肉飯、李海魯肉飯、魚皮李魯肉飯、魯肉邱、林記古早味、阿發排骨飯、楊媽媽立食、茂川肉丸、丁山肉丸、丸先生魚片、丸一鮮魚行，甚至市場外的天天饅頭，不少都可追溯至日治時期。

又如丸一鮮魚行 (32)，1971 年就有該店的相關報導，該店相當重視商譽和品質，稱在接洽生意時，有其獨有特色——絕不討價還價，並且為顧客解釋品質的優劣。當時該店專門研製洋火腿，且「只有內行人才會親臨訂購，一般人雖然在許多食

麻芛

麻芛為摘取黃麻的嫩芽後製成，臺中周邊特殊的地形、土質和氣候特別適合黃麻生長，人們取其嫩芽揉爛後，常用於煮湯，十分消暑，老一輩的人甚至稱好處不輸給人蔘，近年來研究發現具抗癌效果，是臺中代表性的食物之一。

【下頁圖】要找最能代表臺中的地道美食，到第二市場就對了！（陳文彥／攝）

品店中也可以買到丸一鮮魚行所製造的 HAM（即洋火腿），但在價格方面卻要相差很多」。

此外，每一店家幾乎都有自己的一套經營哲學，對於熟悉的食材，如何判斷其新鮮、優劣，總能說上許久的時間，幾乎都到達專家的等級。一家在市場內賣圓仔湯四十餘年的老店家，賣紅豆、綠豆、花生等四果，也賣四神湯，每樣食材如何調理，都有自己的道理和堅持，「照說客人愛吃什麼點什麼，這家『老店』卻是有老店的規矩，『四神湯』切切不可與四果混合。若你想混著吃，她不賣，如果你嫌它湯料太淡或太甜，她就拉下臉來與你辯，真不枉『老』派頭。」店裡的老闆娘說：「我們雖然沒有科學電腦來計算，但一鍋水要放多少白砂糖、多少紅砂糖，這個分量四十年沒有一日差錯，我們的秤是心秤哩。」

而這些店家從每天接觸形形色色的消費者中，觀察市場、觀察人性，有挑剔的顧客，有斤斤計較的顧客，也有不計較的顧客和隨意的顧客，有種看盡人生百態的感受，也培養出自己的人生哲學。

| 依舊臥虎藏龍的第二市場 |

　　光陰似箭，第二市場 (33) 在臺中市已矗立超過百年，堪稱「祖父」級的市場，在第一市場遭拆除後，成為臺中市歷史最悠久的市場，且是臺灣目前少數保存較完整的市場之一。它伴隨臺中市經歷日治時期的擴張，有日本人市場的稱號。它也經歷太平洋戰爭、國共內戰等戰爭期間和之後的蕭條時段，在那段艱苦的歲月中，市場是人們求得溫飽度日的重要象徵之一。之後，當臺灣成為亞洲四小龍，經濟起飛時，第二市場彷彿也恢復了活力，到此消費的人們臉上，更多希望和笑意。然而，當臺中市重心往北挪移時，它似乎又從繁華變為稍顯沒落。它的歷史與近百年來臺中市，乃至臺灣的歷史可說是緊緊地鑲嵌在一起。

　　在臺中市城區重新規劃下，約 2000 年前後，七期重劃區取代中區等舊城區，成為臺中新的核心區域之一。中區過往的繁華逐漸退去，對比於新興的區域，顯得有些落寞；此外，第二市場的許多功能也逐漸被其它地點所取代，如它原本是臺中重要的水果批發地區，因為場地不足、交易問題等因素，第二

市場的大部分水果批發商，已於 1997 年轉移至中清交流道附近的新果菜市場。

但經過近十餘年的一番整建之下，市場仍舊保持不錯的活力，依舊是中區代表性的景點之一，市場內各家攤商，各具特色，可用「臥虎藏龍」來形容，每每成為各綜藝節目、美食節目到臺中時必訪的地點。

第二市場如同許多有歷史價值的古蹟一樣，它充滿了文化、歷史和人情，但似乎總是追不上時代和潮流的變化。然而，在文化創意產業創新的思維下，不再將這些古蹟視為迂腐、老舊的符號，而是努力尋求著各種「活化」的可能，將新與舊、傳統與現代相結合，重新詮釋古建築的價值與意義。

此外，在「復興中區」(34) 的號召下，目前臺中中區已有許多結合新與舊的景點，第二市場即是不錯的案例之一，在市政府努力之下，透過改善採光、排水、牆壁彩繪、整建六角樓等措施，第二市場已逐漸走出另一番嶄新的風格。

歷年來，透過一些富有意義和具創意的活動，也可扭轉人們過去對市場的刻板印象，讓人們重新認識市場。例如，市府

【右頁圖】不只第二市場內部臥虎藏龍，旁邊的興中街也是一條可供懷舊的民眾挖寶的寶地。（陳文彥／攝）

藉由市場內武德宮六十週年慶，第二市場舉辦過特賣促銷會。年終時，也曾和建國市場聯合舉辦過年貨特賣會，強調傳統市場的功能，商品貨真價實，並不輸於西式大賣場。又如近期舉辦的「酒樓美食百年宴」(35)，重新呈現日治時代的臺灣料理，它所呈現的菜色，如大五柳居、日月合璧等，都是依照日治時代留下的食譜下去調製，讓民眾彷彿穿過時光隧道，在市場品嘗以前的古早味，特別富有文化和歷史意義。

除了第二市場依舊吸引人潮外，其它如宮原眼科、第四信用合作社、柳川河岸景觀步道、臺中文學館(36)等，在假日期間，成為不同年齡層人們休閒、聚會的熱門「口袋」名單。這些透過文化古蹟的重塑來提振經濟的做法，兼顧經濟發展和人文素養。

目前持續進行的中區改造計畫包含東協廣場（第一廣場）、綠川親水步道(37)、臺中火車站古蹟再造等，許多人文的景點都走濃厚的復古風，兼具歷史和文化的意義，可以期待中區未來的進一步活化、蛻變與再生。

【右頁圖】第二市場內也有雜貨攤、成衣店，將民眾的食衣等需求一次包辦。（陳文彥／攝）

附　錄

第二市場大事紀

時間	大事紀
大正 6 年 （1917 年）	始建完成，主體建築採 Y 字形，具建築幾何美感。
大正 8 年 （1919 年）	第二市場內魚菜市場建築完成，後續並增加卸賣市場，成為臺中主要水果、蔬菜、生魚拍賣市場。
昭和 6 年 （1931 年）	由於建築老舊，市場進行改建，生魚拍賣場擴張三倍，並再增加市場周邊簡易賣店，改建後，消費人潮增加許多，食物交易量增多。
昭和 16 年 （1941 年）	臺灣咖啡文化逐漸普及，當時第二市場所在的新富町內即有咖啡店，《臺中商工案內》統計臺中共有 8 家咖啡店。同一年，臺中共有 12 家臺灣料理店，新富町內即有 3 家，包含第二市場旁的聚英樓。
昭和 17 年 （1942 年）	珍珠港事變爆發，不久後，臺灣進入食物配給制度，第二市場供應的食物種類和數量減少。
民國 40 年代 （1950 年代）	臺灣光復後，第二市場仍舊為臺中重要的水果集散市場，集中於今日中山路一帶。戰後財政困窘，加上習慣不佳，市場周邊衛生堪虞，臺中陸續進行消滅鼠疫等衛生工作。
民國 54 年 （1965 年）	第二市場周邊道路（三民路、中山路）增建二樓鋼筋水泥建築，日治時期著名的 Y 字形建築逐漸遭隱蔽。
民國 58 年 （1969 年）	遠東百貨臺中第一家分店正式成立，帶動臺中火車站前和中區的發展。

市街之味｜臺中第二市場的百年風味

民國 59 年 （1970 年）	2 月 11 日凌晨，第二市場發生大火，大部分建築遭毀，僅剩下六角樓磚造建築和其中一翼部分建築。
民國 64 年 （1975 年）	第二市場旁的興中街發生爆炸案，造成 31 人死亡的重大社會案件。
民國 70 年代 （1980 年代）	統一超商、大型賣場紛紛設立，改變民眾消費型態，衝擊傳統市場的經營方式。
民國 80 年 （1991 年）	第二市場的姊妹市場第一市場轉型為第一廣場大樓。同年，第二市場也有規劃轉型的計畫，藉此提振和帶動中區的發展。
民國 84 年 （1995 年）	第二市場預計將興建地上十五層地下四層的商業大樓，市府同意投資者可使用五十年。
民國 91 年 （2002 年）	第二市場改建案告一段落，在多數攤商用戶的反對下，市府不再計畫改建，改為修建和轉型。
民國 94 年 （2005 年）	第二市場內武德宮六十週年慶。春節期間，第二市場舉辦年貨特賣會。
民國 106 年 （2017 年）	6 月，第二市場舉辦「酒樓美食百年宴」，重現日治時期經典臺灣料理。 9 月，第二市場舉辦滷肉飯節。

參考書目

| 書籍 |

1. 片岡巖著，陳金田譯，《臺灣風俗誌》，臺北：眾文圖書出版社，1987。

2. 《重修臺灣省通志》，南投：臺灣省文獻委員會，1989 ～ 1998。

3. 張勝彥，《臺中市史》，臺中：臺中市立文化中心，1999。

4. 東海大學建築系編著，《臺中市日治時期建築與文化》。

5. 朱浤源，《孫立人上將專案追蹤訪談錄》，臺北：臺灣學生書局，2012。

6. 文可璽編著，《臺灣摩登咖啡屋：日治臺灣飲食消費文化考》，臺北：前衛出版社，2014。

7. 福地享子著，周雨枏譯，《築地市場四百年》，臺北：麥浩斯出版社，2016。

8. 李乾朗，《臺灣古建築圖解事典》，臺北：遠流出版社，2017。

| 期刊、碩博士論文 |

1. 鍾順利，〈臺灣日治時期五大都市之公設消費市場建築〉，臺南：國立成功大學建築學系碩士論文，2006。

2. 陳玉箴，〈食物消費中的國家、階級與文化展演：日治與戰後初期的「臺灣菜」〉，《臺灣史研究》，2008，頁139-186。

3. 侯巧蕙，〈臺灣日治時期漢人飲食文化之變遷：以在地書寫為探討核心〉，臺北：國立臺灣師範大學臺灣語文學系碩士論文，2012。

4. 劉罡羽，〈論臺灣日治時期公設市場建築：以臺灣總督府史料為據〉，臺南：國立成功大學建築學系碩士論文，2016。

| 史料 |

日治時期

1. 氏平要、原田芳之，《臺中市史》，臺中：臺灣新聞社，1934。
2. 石井善次編，《臺中商工案內》，臺中：臺中商工會議所，1941。
3. 佐倉孫三，《臺風雜記》。
4. 《臺灣日日新報》。
5. 《臺中市報》。
6. 《總督府職員錄》。
7. 《臺中市產業統計》。
8. 《臺中市管內概況》。
9. 《臺中市市場要覽》。
10. 《臺中州要覽》。
11. 《中部に於ける芭蕉の調查》。
12. 《臺灣商品概說》。
13. 《臺中州水產會報》。
14. 《臺灣教育》。
15. 《臺灣水產雜誌》。
16. 《臺中商工案內》。
17. 《黃旺成日記》。
18. 《灌園先生日記》。
19. 《吳新榮日記》。

臺灣戰後時期

1. 《聯合報》。
2. 《中國時報》。
3. 《民生報》。
4. 《經濟日報》。
5. 《中央日報》。
6. 《民聲日報》。

臺中學 7

市街之味

臺中第二市場的百年風味

作　　　者	游博清
攝　　　影	林權助・陳文彥・陳弘逸等
照 片 提 供	國家圖書館・國立臺灣大學圖書館・國立臺灣圖書館・林全秀等

發 行 人	林佳龍
主　　編	王志誠（路寒袖）
編 輯 委 員	施純福・黃名亨・楊懿珊・林敏棋・陳素秋・林承謨
執 行 編 輯	陳兆華・范秀情・趙崧然・林耕震

出 版 單 位	臺中市政府文化局
地　　址	臺中市西屯區臺灣大道三段 99 號惠中樓 8 樓
網　　址	http://www.culture.taichung.gov.tw
電　　話	04-2228-9111
展 售 處	五南書局／ 04-2226-0330
	臺中市中區中山路 6 號
	國家書店松江門市／ 02-2518-0207
	臺北市中山區松江路 209 號 1 樓

編 輯 製 作	遠景出版事業有限公司
負 責 人	葉麗晴
主　　編	李偉涵
執 行 編 輯	謝佳容
編 輯 助 理	陳弘逸、吳明軒
封 面 插 畫	鄭硯允
美 術 設 計	李偉涵
內 文 排 版	李偉涵

地　　址	新北市板橋區松柏街 65 號 5 樓
電　　話	02-2254-2899
傳　　真	02-2254-2136
劃 撥 戶 名	晴光文化出版有限公司
劃 撥 帳 號	19929057
總 經 銷	紅螞蟻圖書有限公司
初　　版	中華民國 106 年 11 月
定　　價	新臺幣 300 元
G P N	1010601665
I S B N	978-986-05-3756-7

國家圖書館出版品預行編目資料

市街之味：臺中第二市場的百年風味／ 游博清 著. 一
初版. 一 臺中市 ： 臺中市政府文化局出版：晴光文化
發行, 2017. 11　面 ； 公分. 一（臺中學；7）

ISBN 978-986-05-3756-7（平裝）

733.9/115　　　　　　　　　　　　106018273